ISTITUTO ITALIANO ANTONIO VIVALDI
FONDATO DA ANTONIO FANNA
DIREZIONE ARTISTICA DI GIAN FRANCESCO MALIPIERO

ANTONIO VIVALDI
(1678-1741)

CATALOGO NUMERICO - TEMATICO
DELLE OPERE STRUMENTALI

EDIZIONI RICORDI

131311

PREFAZIONE

Esattamente vent'anni fa, nel 1947 — uscita da poco l'Europa dalla guerra — aveva inizio la pubblicazione di tutte le Opere strumentali di Antonio Vivaldi, per la collaborazione tra la Casa Ricordi e l'Istituto Italiano Antonio Vivaldi e sotto la direzione artistica di Gian Francesco Malipiero.

Nel licenziare ora alle stampe il Catalogo numerico-tematico delle Opere strumentali di Antonio Vivaldi — quasi coronamento dell'edizione che sta per giungere al termine — desidero rivolgere il mio cordiale ringraziamento a quanti mi furono larghi di informazioni, consigli, suggerimenti e aiuti in questi vent'anni di lavoro, in occasione anche dei miei soggiorni presso le varie Biblioteche europee per il reperimento e lo studio dei manoscritti e delle antiche opere a stampa del Prete rosso.

Mi piace qui ricordare i Signori Stelio Bassi, Jean-Pierre Demoulin, Don Piero Damilano, Rolf Dempe, Rudolf Eller, Ernst Hilmar, Karl-Heinz Köhler, Hedwig Kraus, François Lesure, Anna Mondolfi, Robert Münster, Leopold Nowak; ed ancora Ester Pastorello, Marc Pincherle, cui tanto devo per la sua fondamentale monografia su Vivaldi (edizione Floury, Parigi 1948), Victor Werner Promnetz, Wolfgang Reich, Friedrich W. Riedel, Albert Vander Linden; Francesco Bellezza e Gianfranco Ferrara, preziosi collaboratori per l'edizione; i defunti Anna Malipiero, Domenico Visentin, Alberto Gentili; l'amico Angelo Ephrikian e il defunto Alfredo Gallinari, i quali, chi per un verso e chi per l'altro, tennero a battesimo ed accompagnarono nei primi passi l'Istituto Vivaldi.

Un grazie affettuoso ad Eugenio Clausetti e a Gian Francesco Malipiero, l'editore e il direttore artistico della Collezione, per la costanza e la fiducia dimostrate nell'impresa, pur in mezzo, talvolta, a difficoltà di vario genere.

Mi è gradito ricordare i revisori delle opere vivaldiane, Ugo Amendola, Bruno Maderna, Romeo Olivieri, Gianfranco Prato, Fritz Zobeley, oltre ad Angelo Ephrikian e a Gian Francesco Malipiero, il quale ultimo si è addossato il peso di gran lunga maggiore del lavoro di revisione dei manoscritti e delle antiche edizioni a stampa.

Infine un grazie a Francesco Continetto, copista e musicista intelligente, che ha steso in partitura con la sua nitida calligrafia centinaia di concerti e sonate del Prete rosso, compiendo così il primo atto della loro resurrezione, dopo oltre due secoli di oblio.

*

Ora che l'opera volge al termine e che ha trovato unite persone di tante parti d'Europa nel contributo dato — chi saltuariamente, chi in forma continuativa — per la sua realizzazione, viene spontaneo ritornare col pensiero agli anni dell'immediato dopoguerra, allorché venne concepita l'idea di restituire alla vita tutta l'opera strumentale di Antonio Vivaldi. L'Europa era allora divisa da barriere di odio. E la nostra speranza è che, forse, la serena e solare musica del Prete rosso che da allora con una vitalità imprevista si è diffusa in tutto il mondo, abbia contribuito ad avviare gli uomini, nell'amore per il bello, verso una maggiore fraternità.

Antonio Fanna
Treviso, dicembre 1967

PRÉFACE

Il y a exactement vingt ans, en 1947 (la guerre était terminée en Europe depuis peu) commençait la publication de toutes les oeuvres instrumentales d'Antonio Vivaldi, grâce à la collaboration de la Maison Ricordi et de l'Institut Italien Antonio Vivaldi, sous la direction artistique de Gian Francesco Malipiero. Au moment de faire imprimer le catalogue numérique et thématique des oeuvres instrumentales d'Antonio Vivaldi — couronnement de l'édition qui va être terminée — je désire adresser un cordial remerciement à tous ceux qui m'ont généreusement donné des renseignements, des conseils et des suggestions, et qui m'ont aidé pendant ces vingt années de travail, et durant mes séjours dans les différentes bibliothèques européennes, à rechercher et à étudier des manuscrits et des anciennes oeuvres imprimées du Prete rosso.

J'ai le plaisir de rappeler ici les noms de Messieurs Stelio Bassi, Jean-Pierre Demoulin, Don Piero Damilano, Rolf Dempe, Rudolf Eller, Ernst Hilmar, Karl-Heinz Köhler, Hedwig Kraus, François Lesure, Anna Mondolfi, Robert Münster, Leopold Nowak; et encore Ester Pastorello, Marc Pincherle, à qui je dois tant pour sa monographie fondamentale sur Vivaldi (édition Floury, Paris 1948), Victor Werner Promnetz, Wolfgang Reich, Friedrich W. Riedel, Albert Vander Linden; Francesco Bellezza et Gianfranco Ferrara, précieux collaborateurs de cette édition; feus Anna Malipiero, Domenico Visentin, Alberto Gentili; mon ami Angelo Ephrikian et feu Alfredo Gallinari qui, d'une façon ou d'une autre, ont tenu sur les fonts baptismaux et ont suivi les premiers pas de l'Institut Vivaldi.

Un merci affectueux à Eugenio Clausetti et à Gian Francesco Malipiero, respectivement éditeur et directeur artistique de la collection, pour leur constance et la confiance qu'ils m'ont témoignée dans cette entreprise, au milieu, parfois, de nombreuses difficultés.

Il m'est agréable de nommer les réalisateurs des oeuvres vivaldiennes, Ugo Amendola, Bruno Maderna, Romeo Olivieri, Gianfranco Prato, Fritz Zobeley ainsi que Angelo Ephrikian et Gian Francesco Malipiero, ce dernier s'étant chargé de la plus grande partie du travail de révision des manuscrits et des éditions anciennes.

Merci enfin à Francesco Continetto, copiste et musicien avisé, qui a mis en partition des centaines de concertos et de sonates du Prete rosso de sa nette calligraphie, accomplissant ainsi le premier acte de leur résurrection, après deux siècles d'oubli.

*

Maintenant que touche à sa fin cette oeuvre, à la réalisation de laquelle ont contribué de façon intermittente ou suivie tant de personnalités de toutes les parties d'Europe, notre pensée retourne spontanément aux années de l'immédiate après-guerre, alors que fut conçue l'idée de rendre à la vie l'ensemble des oeuvres instrumentales d'Antonio Vivaldi. L'Europe était alors divisée par des barrières de haine. Et c'est notre espoir que peut-être la sereine et rayonnante musique du Prete rosso qui, depuis lors, s'est répandue dans le monde entier avec une rapidité imprévue, a contribué à pousser les hommes dans l'amour du beau vers une plus grande fraternité.

Antonio Fanna
Trevise, Décembre 1967

PREFACE

Exactly twenty years ago, in 1947, when Europe had only just emerged from the ravages of war, Messrs. G. Ricordi & Co., in collaboration with the Istituto Italiano Antonio Vivaldi, and with Gian Francesco Malipiero acting as the Artistic Director, undertook the publication of all the instrumental works by Antonio Vivaldi.

Now that the numerical-thematic catalogue of these works is about to be printed, thus giving as it were the finishing touch to the almost completed Edition, I wish to express my most sincere thanks to all those who generously gave me information, advice, suggestions and assistance in twenty years of work and research into manuscripts and early editions of Antonio Vivaldi, carried out in various European music libraries.

Grateful acknowledgement is due to Stelio Bassi, Jean-Pierre Demoulin, Don Piero Damilano, Rolf Dempe, Rudolf Eller, Ernst Hilmar, Karl-Heinz Köhler, Hedwig Kraus, François Lesure, Anna Mondolfi, Robert Münster, Leopold Nowak, Ester Pastorello, Marc Pincherle (to whom I am much indebted for his fundamental monography on Vivaldi, published by Floury in Paris, in 1948), Victor Werner Promnetz, Wolfgang Reich, Friedrich W. Riedel, Albert Vander Linden; Francesco Bellezza and Gianfranco Ferrara, valuable collaborators in this edition and also to the late Anna Malipiero, Domenico Visentin and Alberto Gentili; my friend Angelo Ephrikian and the late Alfredo Gallinari who, in their different ways, helped to launch with their advice and guided the first steps of the Istituto Vivaldi.

I also wish to thank most warmly Eugenio Clausetti and Gian Francesco Malipiero, who, as publisher and artistic director of the Series, showed unlimited confidence in the success of this venture in despite of the many difficulties encountered on the way.

Lastly, I wish to mention the musicians who revised Vivaldi's works: Ugo Amendola, Bruno Maderna, Romeo Olivieri, Gianfranco Prato, Fritz Zobeley, together with Angelo Ephrikian and Gian Francesco Malipiero, who took upon himself the greatest share of the revision of the manuscripts and early printed editions. Finally, my thanks are due to Francesco Continetto, an intelligent musician and copyist, who painstakingly reconstructed the scores of hundreds of Vivaldian Concertos and Sonatas, thus instigating the first step for their revival after two centuries of oblivion.

*

Now that this task is almost completed, after years of close collaboration with musicians of many European countries who have contributed, some occasionally, others continuously, my thoughts go back to the post-war years when the idea of reprinting all Vivaldi's instrumental works was first conceived, at a time when Europe was still divided by the barriers of hatred. We hope that the serene and glorious music of the « Red Priest », the fame of which is today firmly established in all countries, may have brought its own contribution to rekindling the flame of friendship among men united in their love for all that is beautiful.

Antonio Fanna
Treviso, December 1967

VORWORT

Vor genau zwanzig Jahren, nämlich 1947 — als der Krieg in Europa erst kurz zu Ende war — begann der Verlag Ricordi in Zusammenarbeit mit dem Istituto Italiano Antonio Vivaldi unter der künstlerischen Leitung von Gian Francesco Malipiero mit der Veröffentlichung der gesamten Instrumentalwerke Antonio Vivaldis.

Nun, da der numerisch-thematische Katalog der Instrumentalwerke Antonio Vivaldis — quasi als Krönung und Abschluss der ganzen Ausgabe — in Druck gegeben werden soll, möchte ich meinen Dank allen jenen aussprechen, die mich in diesen zwanzig Jahren Arbeit so grosszügig mit Ratschlägen, Informationen und Anregungen unterstützt haben, und zwar insbesonders bei meinen Besuchen an den verschiedenen europäischen Bibliotheken, wo ich die Manuskripte und alten gedruckten Ausgaben des sogenannten « rothaarigen Priesters » aufspürte und studierte.

Zu besonderem Dank bin ich den Herren Stelio Bassi, Jean-Pierre Demoulin, Don Piero Damilano, Rolf Dempe, Rudolf Eller, Ernst Hilmar, Karl-Heinz Köhler, Hedwig Kraus, François Lesure, Frau Anna Mondolfi, Robert Münster, Leopold Nowak verpflichtet; ferner Frau Ester Pastorello und Herrn Marc Pincherle, dessen so wertvoller Monographie über Vivaldi (herausgeben von Floury, Paris, 1948) ich besonders viel verdankte. Mein Dank gebührt Victor Werner Promnetz, Wolfgang Reich, Friedrich W. Riedel, Albert Vander Linden; Francesco Bellezza und Gianfranco Ferrara, werte Mitarbeiter dieser Ausgabe; ferner den Verstorbenen, Anna Malipiero, Domenico Visentin und Alberto Gentili; ausserdem meinem Freund Angelo Ephrikian und dem verstorbenen Alfredo Gallinari, die — jeder auf seine Weise — die ersten Schritte des Istituto Vivaldi lenkten.

Ein herzlicher Dank gebührt auch den Herren Eugenio Clausetti und Gian Francesco Malipiero, dem Verleger und dem künstlerischen Leiter der Sammlung, für ihr unerschütterliches Vertrauen in dieses Unternehmen, obwohl sie oft mit den mannigfachsten Schwierigkeiten zu kämpfen hatten.

Ebenso herzlich möchte ich auch den Herausgebern der Werke Vivaldis danken, nämlich den Herren Ugo Amendola, Bruno Maderna, Romeo Oliveri, Gianfranco Prato, Fritz Zobeley, sowie den Herren Angelo Ephrikian und Gian Francesco Malipiero; letzterer hat den Hauptanteil der Revisionsarbeit an den Manuskripten und alten gedruckten Ausgaben auf sich genommen.

Zum Schluss möchte ich noch Francesco Continetto danken, dem intelligenten Kopisten und Musiker, der mit seiner klaren Schrift die Partituren von hunderten von Konzerten und Sonaten des « rothaarigen Priesters » angefertigt hat und so den ersten Schritt dazu tat, sie nach zwei Jahrhunderten der Vergessenheit zu entreissen.

*

Nun, da das Werk seiner Vollendung nahe ist, zu dessen Gelingen so viele Personen aus allen Teilen Europas gemeinsam — sei es zeitweise, sei es fortlaufend — beigetragen haben, kehren meine Gedanken unwillkürlich zu der Zeit unmittelbar nach dem Krieg zurück, als die Idee, das gesamte Instrumentalwerk Antonio Vivaldis, wieder zum Leben zu erwecken, geboren wurde. Ganz Europa war damals durch Barrieren des Hasses gespalten. Ich hoffe von ganzem Herzen, dass die heitere, strahlende Musik des « rothaarigen Priesters », die sich seitdem mit unvorhergesehener Kraft in der ganzen Welt durchsetzte, vielleicht dazu beigetragen hat, die Menschen in ihrer Liebe zum Schönen einander näher zu bringen.

Antonio Fanna
Treviso, Dezember 1967

La sigla F. .... n. .... indica l'ordine della catalogazione delle opere vivaldiane eseguita da Antonio Fanna.

La catalogazione è sistematica, non essendovi elementi sufficienti per la catalogazione cronologica.

Lo schema generale della catalogazione è il seguente:

Le sigle F. .... n. .... indique l'ordre du catalogue des oeuvres de Vivaldi par Antonio Fanna.

L'ordre du catalogue est systématique car il n'y a pas d'éléments suffisants pour un classement chronologique.

Le schéma général du catalogue est le suivant:

The abbreviation F. .... n. .... indicates the order of Vivaldi's works as catalogued by Antonio Fanna.

The works are listed in systematic order as there is not sufficient information to list them chronologically. The general outline is as follows:

Die Abkürzung F. .... n. .... bezeichnet die Reihenfolge der Katalogisierung der Werke Vivaldis, durchgeführt von Antonio Fanna.

Die Katalogisierung erfolgt systematisch, in Werkgruppen nach Besetzung geordnet, da nur ungenügende Angaben für eine chronologische Katalogisierung vorhanden waren.

Das allgemeine Schema der Katalogisierung ist folgendes:

F. I   - Concerti per violino

F. II   - Concerti per viola

F. III   - Concerti per violoncello

F. IV   - Concerti per violino con altri archi solisti

F. V   - Concerti per mandolino

F. VI   - Concerti per flauto

F. VII - Concerti per oboe

F. VIII - Concerti per fagotto

F. IX   - Concerti per tromba

F. X   - Concerti per corno

F. XI   - Concerti per archi

F. XII - Concerti per complessi vari

F. XIII - Sonate per violino

F. XIV - Sonate per violoncello

F. XV - Sonate per fiati

F. XVI - Sonate per complessi vari

AVVERTENZA AVERTISSEMENT NOTE ANMERKUNGEN

Nel presente catalogo sono indicati gli *incipit* delle Opere strumentali di Antonio Vivaldi. Sono escluse:
1. *Opere di dubbia attribuzione.*
2. *Opere incomplete.*
Sono inoltre escluse le Opere i cui manoscritti sono attualmente inaccessibili e quelle andate perdute e di cui si conoscono solamente gli *incipit*.
Essendo probabili ulteriori ritrovamenti di manoscritti di Opere strumentali vivaldiane presso collezioni pubbliche o private, è previsto che al presente Catalogo faccia seguito in avvenire una appendice con elencati le Opere e gli *incipit* di cui sopra.

*

Le Opere strumentali sono elencate secondo l'ordine dello schema della catalogazione Fanna (Concerti per violino, per viola, per violoncello, ecc.). Entro ogni singolo gruppo, le Opere sono elencate in ordine di tonalità.
Per ogni Opera strumentale sono indicati, oltre agli *incipit*, alla catalogazione Fanna e al titolo, il nome del Revisore e il numero del Tomo (o volume) riferitisi all'edizione completa delle Opere strumentali pubblicata dall'Istituto Italiano Antonio Vivaldi in collaborazione con la Casa Ricordi, nonché la durata dell'Opera strumentale e la provenienza del manoscritto — e la sua segnatura — o l'opera a stampa antica da cui è tratta l'edizione Istituto Vivaldi-Ricordi.

Les incipit *des oeuvres instrumentales d'Antonio Vivaldi sont indiqués dans le présent catalogue. Sont exclues:*
1. Les oeuvres d'attribution douteuse.
2. Les oeuvres incomplètes.
Les oeuvres dont les manuscrits sont actuellement inaccessibles sont supprimées, de même que celles qui ont été perdues et dont on connaît seulement les incipit.
Il est probable que l'on découvrira ultérieurement des manuscrits d'oeuvres instrumentales de Vivaldi dans les collections publiques ou privées. Aussi a-t-on prévu, dans l'avenir, un appendice à ce catalogue qui portera la liste des oeuvres et leurs incipit.

*

Les oeuvres instrumentales sont classées dans l'ordre du catalogue Fanna (Concertos pour violon, alto, violoncelle, etc.). Dans chaque groupe, les oeuvres sont placées par ordre de tonalité.
Chaque oeuvre instrumentale comporte, outre les incipit, le cataloguement Fanna et le titre, le nom du réalisateur et le numéro du Tome (ou volume) se rapportant à l'édition complète des oeuvres instrumentales publiées par l'Institut Italien Antonio Vivaldi en collaboration avec la Maison Ricordi, ainsi que la durée de l'oeuvre instrumentale et la provenance du manuscrit (et sa cote), ou l'édition ancienne d'où a été

The present Catalogue contains the *Incipit* of all Vivaldi's instrumental works. The following ones are excluded:
1. *Works whose attribution to Vivaldi is questionable.*
2. *Unfinished works.*
Works whose manuscripts are at present inaccessible, or those which have been lost, and of which only the *Incipit* have remained, are also excluded.
As it is possible that other manuscripts of instrumental works by Vivaldi will be traced in public or private collections, we expect to be able to add an Appendix at a later date, listing further works and their *Incipit*.

*

The instrumental works are listed according to the distribution in the Fanna catalogue (Concertos for violins, for viola, for 'cello, etc.). The works of each group are listed in order of tonality. For each work we have given, together with the *Incipit*, and serial number of the Fanna catalogue, the name of the editor and the volume number, as it appears in the complete Edition of instrumental works published by the Istituto Italiano Antonio Vivaldi in collaboration with Messrs. G. Ricordi, the duration of performance, the place of origin of the manuscript, with its callnumber, or the early printed edition on which the Edition published by the Isti-

Im vorliegenden Katalog sind die Incipit *der Instrumentalwerke Antonio Vivaldis angegeben, Mit Ausnahme von:*
1. Werke zweifelhafter Urheberschaft.
2. Unvollständige Werke.
Ausserdem sind jene Werke ausgenommen, deren Manuskripte gegenwärtig unzugänglich sind, sowie jene, die verloren gingen und von denen lediglich die Incipit *bekannt sind.*
Da wahrscheinlich noch weitere Manuskripte von Instrumentalwerken Vivaldis bei öffentlichen und privaten Sammlungen auftauchen werden, ist für die Zukunft ein Anhang zu diesem Katalog vorgesehen, der solche Werke und ihr Incipit *enthalten wird.*

*

Die Instrumentalwerke sind in der Reihenfolge des Schemas der Katalogisierung Fanna (Konzerte für Violine, für Viola, für Violoncello, etc.) angeführt, und innerhalb jeder dieser Gruppen in der Reihenfolge der Tonart.
Bei jedem Instrumentalwerk sind ausser dem Incipit *laut Katalogisierung Fanna und dem Titel auch der Name des Herausgebers sowie die Nummer des jeweiligen Bandes angegeben, und zwar unter Bezugnahme auf die vom Istituto Italiano Antonio Vivaldi in Zusammenarbeit mit dem Verlag Ricordi herausgegebene Gesamtausgabe der Instrumentalwerke, sowie die Dauer des Werkes und die Herkunft des Manuskriptes — und seine Signatur — oder jene alte gedruckte Ausgabe, worauf sich die moderne Ausgabe des Istituto Vivaldi-Ricordi basiert.*

Delle 530 Opere strumentali elencate in questo Catalogo e che fanno parte a tutt'oggi dell'Edizione Istituto Vivaldi - Ricordi, le Biblioteche di provenienza (per quanto riguarda i manoscritti) sono le seguenti:

tirèe celle de l'Institut Vivaldi-Ricordi.
Voici la liste des bibliothèques où se trouvent les manuscrits de 401 oeuvres instrumentales sur les 530 * catologuées ici et qui font partie jusqu'à ce jour de l'Edition de l'Institut Vivaldi-Ricordi:

tuto Vivaldi-Ricordi has been based.
Of the total 530 instrumental works listed in this catalogue and published in the Istituto Vivaldi-Ricordi Edition, 401 manuscripts were found in the following Libraries:

Die 530 in diesem Katalog angeführten und bis zum heutigen Tag zur Ausgabe des Istituto Vivaldi-Ricordi gehörigen Instrumentalwerke wurden (soweit es die Manuskripte betrifft) in folgenden Bibliotheken aufgefunden:

Biblioteca Nazionale, Torino, per 295 Opere
Biblioteca del Conservatorio di Musica, Napoli, per 3 Opere
Biblioteca Querini Stampalia, Venezia, per 1 Opera
Sächsische Landesbibliothek, Dresden, per 64 Opere
Deutsche Staatsbibliothek, Berlin, per 1 Opera
Staatsbibliothek der Stiftung Preussischer Kulturbesitz, Berlin, per 2 Opere
Mecklenburgische Landesbibliothek, Schwerin, per 5 Opere
Musikbibliothek der Grafen Von Schönborn-Wiesentheid, Wiesentheid, per 10 Opere
Oesterr. Nationalbibliothek, Wien, per 6 Opere
Gesellschaft der Musikfreunde, Wien, per 1 Opera
Bibliothèque Nationale, Paris, per 5 Opere
Archives Départementales de Lot-et-Garonne, Agen, per 2 Opere
Universitetsbiblioteket, Uppsala, per 4 Opere
Fitzwilliam Museum, Cambridge, per 1 Opera
University Library, Cambridge, per 1 Opera

Inoltre 129 Opere strumentali sono tratte da edizioni a stampa antiche.

* 129 oeuvres instrumentales proviennent des éditions anciennes.

The remaining 129 works are based on early printed editions.

Ausserdem wurden 129 Instrumentalwerke verschiedenen alten gedruckten Ausgaben entnommen.

ABBREVIAZIONI   ABRÉVIATIONS   ABBREVIATIONS   ABKÜRZUNGEN

Ed.   = Edizione
Ms.   = Manoscritto
T.G.   = Torino, Biblioteca Nazionale, Raccolta Giordano
T.F.   = Torino, Biblioteca Nazionale, Raccolta Foà
N.   = Napoli, Biblioteca del Conservatorio di Musica
V.   = Venezia, Biblioteca Querini Stampalia
G.   = Genova, Istituto musicale « Nicolò Paganini »
D.   = Dresden, Sächsische Landesbibliothek
B.D.   = Berlin, Deutsche Staatsbibliothek
B.S.   = Berlin, Staatsbibliothek der Stiftung Preussischer Kulturbesitz
S.   = Schwerin, Mecklenburgische Landesbibliothek
W.S.   = Wiesentheid, Musikbibliothek der Grafen Von Schönborn - Wiesentheid
W.O.   = Wien, Oesterr. Nationalbibliothek
W.G.   = Wien, Gesellschaft der Musikfreunde
P.   = Paris, Bibliothèque Nationale
A.   = Agen, Archives Départementales de Lot-et-Garonne
U.   = Uppsala, Universitetsbiblioteket
C.F.   = Cambridge, Fitzwilliam Museum
C.U.   = Cambridge, University Library
AM.   = Amsterdam, Universiteits-Bibliotheek
Z.   = Zürich, Allgemeine Musikgesellschaft, Zentralbibliothek
W.   = Washington, Library of Congress

« Concerts à 5... »   = « Concerts à 5, 6 & 7 Instruments, dont il y en a un pour la Trompette ou le Haubois; Composez par Messieurs Bitti, Vivaldi & Torelli Dediez à Monsieur Leon D'Urbino »

« VI Concerts à 5... »   = « VI Concerts à 5 & 6 Instrumens Composez par Messieurs Mossi, Valentini & Vivaldi »

« Concerti a Cinque... »   = « Concerti a Cinque Con Violini, Oboè, Violetta, Violoncello e Basso Continuo, Del Signori G. Valentini, A. Vivaldi, T. Albinoni, F. M. Veracini, G. S.ᵗ Martin, A. Marcello, G. Rampin, A. Predieri. »

« VI Concerti à 5... »   = « VI Concerti à 5 Stromenti, 3 Violini, Alto Viola e Basso Continuo Del Signò. F. M. Veracini, A. Vivaldi, G. M. Alberti, Salvini e G. Torelli »

« VI Concerti a Cinque... »	= « VI Concerti a Cinque Stromenti a Violino Principale, Violino Primo, Violino Secondo, Alto Viola, Organo e Violoncello d'Alcuni Famosi Maestri comme Antonio Vivaldi, Bernardo Polazzo, Gasparo Visconti e Lorenzo Rossi. Libro Primo. »
« VI Concerti a Cinque... »	= « VI Concerti a Cinque Stromenti a Violino Principale, Violino Primo, Violino Secondo, Alto Viola, Organo e Violoncello. d'Alcuni Famosi Maestri Comme di Angello Maria Scaccia, Francesco Maria Veracini, Antonio Vivaldi, Bernardo Polazzo e Giuseppe Tartini. Libro Secondo. »
« Two Celebrated Concertos... »	= « Two Celebrated Concertos the one Commonly call'd the Cuçkow and the other Extravaganza Compos'd by Sig.^{r} Antonia Vivaldi »
« Harmonia Mundi... »	= « Harmonia Mundi The 2.^{d} collection Being VI Concertos in Six Parts For Violins and other Instruments Collected out of the choicest Works of the most Eminent Authors viz Vivaldi Tessarini Albinoni Alberti never before Printed »
« Select Harmony... »	= « Select Harmony; being XII Concertos in Six Parts, for Violins and other Instruments; Collected from the Works of Antonio Vivaldi, viz. His 6.th 7.th 8.th and 9.th Operas: being a well-chosen Collection of his most Celebrated Concertos. The whole carefully corrected. »
« L'Elite des Concerto... »	= « L'Elite des Concerto Italiens à Tre Violini, Alto Viola, Violoncello e Organo. del Sig.^{r} Antonio Vivaldi. Concerto I°. »

ABBREVIAZIONI STRUMENTALI	ABRÉVIATIONS INSTRUMENTALES	INSTRUMENTAL ABBREVIATIONS	INSTRUMENTAL-ABKÜRZUNGEN

fl.	= flauto
ob.	= oboe
cl.	= clarinetto
cor.	= corno
fag.	= fagotto
lt.	= liuto
vno pr.	= violino principale
vno conc.	= violino concertante
vla	= viola
vc.	= violoncello

CATALOGO NUMERICO-TEMATICO

La parte musicale del presente catalogo tematico
è stata realizżata da Francesco Bellezza

CONCERTI PER VIOLINO

F. I n. 3 - Concerto in do magg. per violino, archi e cembalo *(Maderna)*

Tomo 13°   10'

T.G. 35, cc 261r - 268v *Ms.*

F. I n. 13 - Concerto in do magg. « in due cori » per violino, archi e 2 cembali « Per la S.S. Assunzione di Maria Vergine » *(Maderna)*

Tomo 55°   12'

T.G. 34, cc 43r - 63v *Ms.*

F. I n. 27 - Concerto in do magg. per violino, archi e organo (o cembalo) « Il Piacere »
(Malipiero)

Tomo 81°   8'

Op. VIII n. 6 *Ed. Le Cene, Amsterdam*

F. I n. 31 - Concerto in do magg. per violino, archi e organo (o cembalo) oppure per oboe, archi e organo (o cembalo) *(Malipiero)*

Tomo 85°   9'

Op. VIII n. 12 *Ed. Le Cene, Amsterdam*

F. I n. 46 - Concerto in do magg. per violino, archi e cembalo *(Malipiero)*

Tomo 120°   13'

T.G.   29, cc 12r - 22r   *Ms.*

F. I n. 47 - Concerto in do magg. per violino, archi e organo (o cembalo) *(Malipiero)*

Tomo 122°   10'

Op. IX n. 1   *Ed. Le Cene, Amsterdam*

F. I n. 67 - Concerto in do magg. per violino, archi e cembalo *(Malipiero)*

Tomo 160°   12'

T.F.   31, cc 14r - 25v   *Ms.*

F. I n. 68 - Concerto in do magg. per violino, archi e cembalo *(Malipiero)*

Tomo 162°   8'

T.F.   31, cc 148r - 153v   *Ms.*

F. I n. 73 - Concerto in do magg. per violino, archi e cembalo *(Malipiero)*
Tomo 167°   8'30"
T.F. 31, cc 122r - 131r   *Ms.*

F. I n. 93 - Concerto in do magg. per violino, archi e cembalo *(Malipiero)*
Tomo 194°   10'
T.G. 30, cc 238r - 246v   *Ms.*

F. I n. 94 - Concerto in do magg. per violino, archi e cembalo *(Malipiero)*
Tomo 195°   13'
T.G. 30, cc 296r - 306v   *Ms.*

F. I n. 111 - Concerto in do magg. per violino, archi e cembalo *(Malipiero)*
Tomo 256°   9'
T.F. 30, cc167r - 174r   *Ms.*

F. I n. 114 - Concerto in do magg. per violino, archi e cembalo *(Malipiero)*

Tomo 259°   12'30"

T.F.   30, cc 263r - 274v   *Ms.*

F. I n. 135 - Concerto in do magg. per violino, archi e cembalo *(Malipiero)*

Tomo 311°   12'

T.G.   29, cc 201r - 214v   *Ms.*

F. I n. 140 - Concerto in do magg. per violino, archi e cembalo *(Malipiero)*

Tomo 322°   11'

D.   2389/O/42   *Ms.*

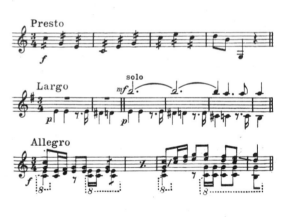

F. I n. 146 - Concerto in do magg. per violino, archi e cembalo *(Malipiero)*

Tomo 328°   11'

D.   2389/O/90   *Ms.*

F. I n. 169 - Concerto in do magg. per violino, archi e cembalo *(Prato)*
Tomo 376°   14'

D. 2389/O/66 *Ms.*

F. I n. 172 - Concerto in do magg. per violino, archi e cembalo *(Prato)*
Tomo 379°   11'

D. 2389/O/75 *Ms.*

F. I n. 186 - Concerto in do magg. per violino, archi, cembalo e organo *(Ephrikian)*
Tomo 424°   9'

Op. IV n. 7 *Ed. E. Roger, Amsterdam*

F. I n. 198 - Concerto in do magg. per violino, archi e organo (o cembalo) *(Malipiero)*
Tomo 443°   9'

Op. VII, Libro I, n. 2 *Ed. J. Roger, Amsterdam*

F. I n. 213 - Concerto in do magg. per violino, archi e organo (o cembalo)   *(Ephrikian)*

Tomo 465°   8'

Op. XII n. 4   *Ed. Le Cene, Amsterdam*

F. I n. 217 - Concerto in do magg. per violino, archi e organo (o cembalo)   *(Malipiero)*

Tomo 481°   9'

« VI Concerts à 5... » n. 6   *Ed. J. Roger, Amsterdam*

F. I n. 226 - Concerto in do magg. per violino, archi e organo   *(Malipiero)*

Tomo 495°   13'

P.   Blancheton, Rés. F. 446, p. 147 - 152   *Ms.*

F. I n. 232 - Concerto in do magg. per violino, archi e organo   *(Malipiero)*

Tomo 508°   9'

W.O.   E.M. 148a.   *Ms.*

F. I n. 2 - Concerto in do min. per violino, archi e cembalo « Il Sospetto »   *(Ephrikian)*
Tomo 4°   12'
T.G.   34, cc 141r - 150v *Ms.*

F. I n. 58 - Concerto in do min. per violino, archi e organo (o cembalo)   *(Malipiero)*
Tomo 133°   10'
Op. IX n. 11   *Ed. Le Cene, Amsterdam*

F. I n. 79 - Concerto in do min. per violino, archi e cembalo   *(Malipiero)*
Tomo 173°   10'
T.F.   31, cc 227r - 237v *Ms.*

F. I n. 105 - Concerto in do min. per violino, archi e cembalo   *(Malipiero)*
Tomo 230°   12'
T.F.   30, cc 79r - 90v *Ms.*

F. I n. 189 - Concerto in do min. per violino, archi, cembalo e organo   *(Ephrikian)*

Tomo 427°   9'

Op. IV n. 10   *Ed. E. Roger, Amsterdam*

F. I n. 210 - Concerto in do min. per violino, archi e organo (o cembalo)   *(Malipiero)*

Tomo 461°   14'

Op. XI n. 5   *Ed. Le Cene, Amsterdam*

F. I n. 8 - Concerto in re magg. per violino, archi e cembalo   *(Maderna)*

Tomo 31°   6'30"

T.G.   30, cc 67r - 72r   *Ms.*

F. I n. 10 - Concerto in re magg. per violino, archi e cembalo « L'Inquietudine »

                                                        (Ephrikian)

Tomo 37°   8'

T.G.   34, cc 79r - 87r   *Ms.*

F. I n. 18 - Concerto in re magg. per violino, archi e cembalo *(Malipiero)*

Tomo 68° 13'

T.G. 30, cc 75r - 87r *Ms.*

F. I n. 19 - Concerto in re magg. per violino, archi e cembalo *(Malipiero)*

Tomo 69° 11'

T.G. 30, cc 118r - 128r *Ms.*

F. I n. 30 - Concerto in re magg. per violino, archi e organo (o cembalo) *(Malipiero)*

Tomo 84° 13'

Op. VIII n. 11 *Ed. Le Cene, Amsterdam*

F. I n. 45 - Concerto in re magg. per violino, archi e cembalo *(Malipiero)*

Tomo 117° 11'

T.G. 30, cc 12r - 21v *Ms.*

F. I n. 62 - Concerto in re magg. « in due cori »
per violino, archi e 2 cembali « Per la S.S. Assunzione di Maria Vergine »   *(Malipiero)*
Tomo 141°   14'

T.G.   34, cc 22r - 41v   *Ms.*

F. I n. 80 - Concerto in re magg. per violino,
archi e cembalo   *(Malipiero)*
Tomo 174°   13'

T.F.   31, cc 200r - 209v   *Ms.*

F. I n. 89 - Concerto in re magg. per violino,
archi e cembalo   *(Malipiero)*
Tomo 188°   11'

T.G.   30, cc 158r - 167v   *Ms.*

F. I n. 97 - Concerto in re magg. per violino,
archi e cembalo   *(Malipiero)*
Tomo 203°   6'

T.F.   29, cc 93r - 100r   *Ms.*

F. I n. 116 - Concerto in re magg. per violino, archi e cembalo *(Malipiero)*

Tomo 261°

13'30"

T.F. 30, cc 188r - 199v *Ms.*

F. I n. 120 - Concerto in re magg. per violino, archi e cembalo *(Malipiero)*

Tomo 286°

7'

T.G. 29, cc 108r - 115r *Ms.*

F. I n. 124 - Concerto in re magg. per violino, archi e cembalo *(Malipiero)*

Tomo 294°

14'

T.G. 29, cc 48r - 61v *Ms.*

F. I n. 129 - Concerto in re magg. per violino, archi e cembalo *(Malipiero)*

Tomo 302°

10'

T.G. 29, cc 182r - 189v *Ms.*

F. I n. 132 - Concerto in re magg. per violino, archi e cembalo *(Malipiero)*
Tomo 305°   7'30"

T.G.   29, cc 271r - 278r   *Ms.*

F. I n. 133 - Concerto in re magg. per violino, archi e cembalo *(Malipiero)*
Tomo 306°   10'

T.G.   29, cc 283r - 294r   *Ms.*

F. I n. 134 - Concerto in re magg. per violino, archi e cembalo *(Malipiero)*
Tomo 307°   10'

T.G.   29, cc 295r - 303v   *Ms.*

F. I n. 136 - Concerto in re magg. per violino, archi e cembalo *(Malipiero)*
Tomo 312°   13'

T.G.   29, cc 233r - 244r   *Ms.*

F. I n. 138 - Concerto in re magg. per violino, archi e cembalo *(Malipiero)*
Tomo 314° 13'
T.G. 29, cc 167r - 181r *Ms.*

F. I n. 149 - Concerto in re magg. per violino, archi e cembalo *(Malipiero)*
Tomo 331° 8'
D. 2389/O/123 *Ms.*

F. I n. 153 - Concerto in re magg. per violino, archi e cembalo *(Malipiero)*
Tomo 335° 12'
D. 2389/O/85 *Ms.*

F. I n. 158 - Concerto in re magg. per violino, archi e cembalo *(Malipiero)*
Tomo 343° 11'
D. 2389/O/57 *Ms.*

F. I n. 160 - Concerto in re magg. per violino, archi e cembalo *(Malipiero)*
Tomo 345° 7'30"

D. 2389/O/58 *Ms.*

F. I n. 162 - Concerto in re magg. per violino, archi e cembalo *(Malipiero)*
Tomo 347° 12'

D. 2389/O/61 *Ms.*

F. I n. 178 - Concerto in re magg. per violino, archi e cembalo *(Malipiero)*
Tomo 414° 7'

Op. III n. 9 *Ed. Roger e Le Cene, Amsterdam*

F. I n. 190 - Concerto in re magg. per violino, archi, cembalo e organo *(Ephrikian)*
Tomo 428° 8'

Op. IV n. 11 *Ed. E. Roger, Amsterdam*

F. I n. 195 - Concerto in re magg. per violino, archi e organo (o cembalo)   *(Malipiero)*
Tomo 439°   6'

Op. VI n. 4   *Ed. J. Roger, Amsterdam*

F. I n. 206 - Concerto in re magg. per violino, archi e organo (o cembalo)   *(Malipiero)*
Tomo 452°   10'

Op. VII, Libro II, n. 5   *Ed. J. Roger, Amsterdam*

F. I n. 207 - Concerto in re magg. per violino, archi e organo (o cembalo)   *(Malipiero)*
Tomo 453°   8'

Op. VII, Libro II, n. 6   *Ed. J. Roger, Amsterdam*

F. I n. 218 - Concerto in re magg. per violino, archi e organo (o cembalo)   *(Malipiero)*
Tomo 482°   9'

« Concerti a Cinque... » n. 6   *Ed. J. Roger, Amsterdam*

F. I n. 225 - Concerto in re magg. per violino, archi e organo *(Malipiero)*

Tomo 494°   11'

P.   Blancheton, Rés. F. 446, p. 117 - 120   *Ms.*

F. I n. 228 - Concerto in re magg. per violino, archi e cembalo *(Malipiero)*

Tomo 497°   14'

S.   Mus. 5567   *Ms.*

F. I n. 234 - Concerto in re magg. per violino, archi e cembalo *(Malipiero)*

Tomo 513°   8'

W.G.   IX 8284   *Ms.*

F. I n. 11 - Concerto in re min. per violino, archi e cembalo *(Malipiero)*

Tomo 45°   11'

T.G.   28, cc. 35r - 44v   *Ms.*

F. I n. 21 - Concerto in re min. per violino, archi e cembalo   *(Malipiero)*
Tomo 74°   12'30"

T.G.   30, cc 47r - 56v   *Ms.*

F. I n. 28 - Concerto in re min. per violino, archi e organo (o cembalo)   *(Malipiero)*
Tomo 82°   6'30"

Op. VIII n. 7   *Ed. Le Cene, Amsterdam*

F. I n. 56 - Concerto in re min. per violino, archi e organo (o cembalo)   *(Malipiero)*
Tomo 131°   9'

Op. IX n. 8   *Ed. Le Cene, Amsterdam*

F. I n. 113 - Concerto in re min. per violino, archi e cembalo   *(Malipiero)*
Tomo 258°   11'

T.F.   30, cc 202r - 212v   *Ms.*

F. I n. 119 - Concerto in re min. per violino, archi e cembalo *(Malipiero)*
Tomo 285°   8'30"
T.G. 29, cc 63r - 72v   *Ms.*

F. I n. 126 - Concerto in re min. per violino, archi e cembalo *(Malipiero)*
Tomo 296°   7'
T.G. 29, cc 73r - 80v   *Ms.*

F. I n. 142 - Concerto in re min. per violino, archi e cembalo *(Malipiero)*
Tomo 324°   12'
D. 2389/O/53   *Ms.*

F. I n. 143 - Concerto in re min. per violino, archi e cembalo *(Malipiero)*
Tomo 325°   10'
D. 2389/O/46   *Ms.*

F. I n. 151 - Concerto in re min. per violino, archi e cembalo *(Malipiero)*
Tomo 333°   8'

D. 2389/O/107 Ms.

F. I n. 154 - Concerto in re min. per violino, archi e cembalo *(Malipiero)*
Tomo 336°   9'30"

D. 2389/O/76 Ms.

F. I n. 187 - Concerto in re min. per violino, archi e cembalo *(Ephrikian)*
Tomo 425°   8'

Op. IV n. 8 *Ed. E. Roger, Amsterdam*

F. I n. 197 - Concerto in re min. per violino, archi e organo (o cembalo) *(Malipiero)*
Tomo 441°   9'

Op. VI n. 6 *Ed. J. Roger, Amsterdam*

F. I n. 212 - Concerto in re min. per violino, archi e organo (o cembalo) *(Ephrikian)*
Tomo 463°   9'30"

Op. XII n. 2   *Ed. Le Cene, Amsterdam*

F. I n. 9 - Concerto in mi bem. magg. per violino, archi e cembalo *(Ephrikian)*
Tomo 38°   18'

T.F.   31, cc 2r - 13v   *Ms.*

F. I n. 26 - Concerto in mi bem. magg. per violino, archi e organo (o cembalo) « La Tempesta di mare » *(Malipiero)*
Tomo 80°   8'

Op. VIII n. 5   *Ed. Le Cene, Amsterdam*

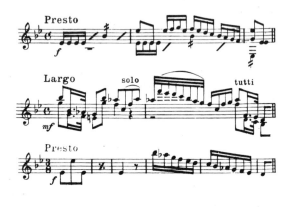

F. I n. 75 - Concerto in mi bem. magg. per violino, archi e cembalo *(Malipiero)*
Tomo 169°   12'

T.F.   31, cc 190r - 199v   *Ms.*

F. I n. 92 - Concerto in mi bem. magg. per violino, archi e cembalo *(Malipiero)*

Tomo 193°   10'

T.G.   30, cc 308r - 320r   *Ms.*

F. I n. 102 - Concerto in mi bem. magg. per violino, archi e cembalo *(Malipiero)*

Tomo 227°   8'

T.F.   30, cc 61r - 68v   *Ms.*

F. I n. 109 - Concerto in mi bem. magg. per violino, archi e cembalo *(Malipiero)*

Tomo 254°   10'30"

T.F.   30, cc 275r - 284r   *Ms.*

F. I n. 131 - Concerto in mi bem. magg. per violino, archi e cembalo *(Malipiero)*

Tomo 304°   10'

T.G.   29, cc 225r - 232v   *Ms.*

F. I n. 156 - Concerto in mi bem. magg. per violino, archi e cembalo *(Malipiero)*
Tomo 340°   10'

D. 2389/O/91   *Ms.*

F. I n. 164 - Concerto in mi bem. magg. per violino, archi e cembalo *(Malipiero)*
Tomo 349°   10'

D. 2389/O/69   *Ms.*

F. I n. 166 - Concerto in mi bem. magg. per violino, archi e cembalo *(Malipiero)*
Tomo 352°   11'

D. 2389/O/101   *Ms.*

F. I n. 193 - Concerto in mi bem. magg. per violino, archi e organo (o cembalo)
(Malipiero)

Tomo 437°   10'

Op. VI n. 2   *Ed. J. Roger, Amsterdam*

F. I n. 231 - Concerto in mi bem. magg. per violino, archi e cembalo « Del Ritiro »

(*Malipiero*)

Tomo 502°　　　　　　　　　　　14'

N.　M.S. 11168 - 11174　*Ms.*

F. I n. 4 - Concerto in mi magg. per violino e archi « Il Riposo »　　(*Fanna*)

Tomo 15°　　　　　　　　　　　8'

T.G.　34, cc 88r - 95r　*Ms.*

F. I n. 7 - Concerto in mi magg. per violino, archi e cembalo　　(*Ephrikian*)

Tomo 29°　　　　　　　　　　　12'

T.F.　31, cc 172r - 179v　*Ms.*

F. I n. 22 - Concerto in mi magg. per violino, archi e organo (o cembalo) « La Primavera »

(*Malipiero*)

Tomo 76°　　　　　　　　　　　10'

Op. VIII n. 1　*Ed. Le Cene, Amsterdam*

F. I n. 48 - Concerto in mi magg. per violino, archi e organo (o cembalo) *(Malipiero)*

Tomo 123° 11'

Op. IX n. 4 *Ed. Le Cene, Amsterdam*

F. I n. 72 - Concerto in mi magg. per violino, archi e cembalo *(Malipiero)*

Tomo 166° 10'

T.F. 31, cc 113r - 121r *Ms.*

F. I n. 84 - Concerto in mi magg. per violino, archi e cembalo *(Malipiero)*

Tomo 180° 12'

T.G. 30, cc 207r - 219v *Ms.*

F. I n. 127 - Concerto in mi magg. per violino, archi e cembalo « L'Amoroso » *(Malipiero)*

Tomo 297° 8'

T.G. 29, cc 82r - 89v *Ms.*

F. I n. 145 - Concerto in mi magg. per violino,
archi e cembalo *(Malipiero)*
Tomo 327°   6'30"

D. 2389/O/60   *Ms.*

F. I n. 179 - Concerto in mi magg. per violino,
archi e cembalo *(Malipiero)*
Tomo 417°   10'

Op. III n. 12   *Ed. Roger e Le Cene, Amsterdam*

F. I n. 37 - Concerto in mi min. per violino,
archi e cembalo *(Malipiero)*
Tomo 93°   11'·

T.G. 35, cc 225r - 239v   *Ms.*

F. I n. 70 - Concerto in mi min. per violino,
archi e cembalo *(Malipiero)*
Tomo 164°   12'

T.F. 31, cc 79r - 90v   *Ms.*

F. I n. 74 - Concerto in mi min. per violino, archi e cembalo *(Malipiero)*

Tomo 168°   12'

T.F.   31, cc 154r - 165v   *Ms.*

F. I n. 181 - Concerto in mi min. per violino, archi e cembalo *(Ephrikian)*

Tomo 419°   10'

Op. IV n. 2   *Ed. E. Roger, Amsterdam*

F. I n. 196 - Concerto in mi min. per violino, archi e organo (o cembalo) *(Malipiero)*

Tomo 440°   9'

Op. VI n. 5   *Ed. J. Roger, Amsterdam*

F. I n. 208 - Concerto in mi min. per violino, archi e organo (o cembalo) « Il Favorito »

(Malipiero)

Tomo 459°   14'

Op. XI n. 2   *Ed. Le Cene, Amsterdam*

F. I n. 216 - Concerto in mi min. per violino, archi e organo (o cembalo)   *(Malipiero)*
Tomo 480°   7'
« Concerts à 5... » n. 1   *Ed. E. Roger, Amsterdam*

F. I n. 220 - Concerto in mi min. per violino, archi e organo (o cembalo)   *(Malipiero)*
Tomo 484°   8'
« Concerti a Cinque... » n. 12   *Ed. J. Roger, Amsterdam*

F. I n. 17 - Concerto in fa magg. per violino, archi e cembalo   *(Malipiero)*
Tomo 66°   8'30"
T.G.   35, cc 194r - 201v   *Ms.*

F. I n. 20 - Concerto in fa magg. per violino, archi e cembalo « Per la Solennità di S. Lorenzo »   *(Malipiero)*
Tomo 70°   16'
T.F.   30, cc 12r - 23r   *Ms.*

F. I n. 24 - Concerto in fa magg. per violino, archi e organo (o cembalo) « L'Autunno »

(Malipiero)

Tomo 78°   10'

Op. VIII n. 3   *Ed. Le Cene, Amsterdam*

F. I n. 33 - Concerto in fa magg. per violino, archi e cembalo   *(Malipiero)*

Tomo 87°   9'

T.G.   35, cc 212r - 224r   *Ms.*

F. I n. 66 - Concerto in fa magg. per violino, archi e cembalo   *(Malipiero)*

Tomo 158°   13'

T.F.   31, cc 26r - 38v   *Ms.*

F. I n. 71 - Concerto in fa magg. per violino, archi e cembalo   *(Malipiero)*

Tomo 165°   10'30"

T.F.   31, cc 103r - 112v   *Ms.*

F. I n. 88 - Concerto in fa magg. per violino, archi e cembalo *(Malipiero)*

Tomo 187°   10'30"

T.G.   30, cc 139r - 146v   *Ms.*

F. I n. 128 - Concerto in fa magg. per violino, archi e cembalo *(Malipiero)*

Tomo 301°   13'

T.G.   29, cc 190r - 200v   *Ms.*

F. I n. 130 - Concerto in fa magg. per violino, archi e cembalo *(Malipiero)*

Tomo 303°   9'30"

T.G.   29, cc 215r - 224r   *Ms.*

F. I n. 161 - Concerto in fa magg. per violino, archi e cembalo *(Malipiero)*

Tomo 346°   9'

D.   2389/O/103   *Ms.*

F. I n. 167 - Concerto in fa magg. per violino,
archi e cembalo   (*Malipiero*)
Tomo 357°   10'

D. 2389/O/79 *Ms.*

F. I n. 188 - Concerto in fa magg. per violino,
archi e cembalo   (*Ephrikian*)
Tomo 426°   8'

Op. IV n. 9 *Ed. E. Roger, Amsterdam*

F. I n. 201 - Concerto in fa magg. per violino,
archi e organo (o cembalo)   (*Malipiero*)
Tomo 446°   10'

Op. VII, Libro I, n. 5 *Ed. J. Roger, Amsterdam*

F. I n. 205 - Concerto in fa magg. per violino,
archi e organo (o cembalo)   (*Malipiero*)
Tomo 451°   10'

Op. VII, Libro II, n. 4 *Ed. J. Roger, Amsterdam*

F. I n. 215 - Concerto in fa magg. per violino, archi e organo (o cembalo) *(Malipiero)*
Tomo 479° 10'

Op. IV n. 6   *Ed. Walsh, London*

F. I n. 25 - Concerto in fa min. per violino, archi e organo (o cembalo) « L'Inverno »
(Malipiero)
Tomo 79° 10'

Op. VIII n. 4   *Ed. Le Cene, Amsterdam*

F. I n. 49 - Concerto in sol magg. per violino, archi e organo (o cembalo) *(Malipiero)*
Tomo 124° 10'

Op. IX n. 10   *Ed. Le Cene, Amsterdam*

F. I n. 64 - Concerto in sol magg. per violino, archi e cembalo *(Malipiero)*
Tomo 156° 8'

T.G.   31, cc 190r - 197r   *Ms.*

F. I n. 87 - Concerto in sol magg. per violino,
archi e cembalo   (*Malipiero*)
Tomo 186°   7'

T.G.   30, cc 256r - 263r   *Ms.*

F. I n. 91 - Concerto in sol magg. per violino,
archi e cembalo   (*Malipiero*)
Tomo 192°   13'

T.G.   30, cc 264r - 272v   *Ms.*

F. I n. 96 - Concerto in sol magg. per violino,
archi e cembalo   (*Malipiero*)
Tomo 202°   5'30"

T.F.   29, cc 87r - 92r   *Ms.*

F. I n. 103 - Concerto in sol magg. per violino,
archi e cembalo   (*Malipiero*)
Tomo 228°   13'30"

T.F.   30, cc 28r - 41v   *Ms.*

F. I n. 107 - Concerto in sol magg. per violino, archi e cembalo *(Malipiero)*

Tomo 247° 9'

T.F. 30, cc 91r - 99v *Ms.*

F. I n. 110 - Concerto in sol magg. per violino, archi e cembalo *(Malipiero)*

Tomo 255° 10'

T.F. 30, cc 140r - 149v *Ms.*

F. I n. 168 - Concerto in sol magg. per violino, archi e cembalo *(Malipiero)*

Tomo 358° 11'

D. 2389/O/95 *Ms.*

F. I n. 173 - Concerto in sol magg. per violino, archi e cembalo *(Malipiero)*

Tomo 408° 8'

Op. III n. 3 *Ed. Roger e Le Cene, Amsterdam*

F. I n. 182 - Concerto in sol magg. per violino, archi, cembalo e organo *(Ephrikian)*

Tomo 420°

Op. IV n. 3   *Ed. E. Roger, Amsterdam*

12'

F. I n. 191 - Concerto in sol magg. per violino, archi, cembalo e organo *(Ephrikian)*

Tomo 429°

Op. IV n. 12   *Ed. E. Roger, Amsterdam*

12'

F. I n. 203 - Concerto in sol. magg. per violino, archi e organo (o cembalo) *(Malipiero)*

Tomo 449°

Op. VII, Libro II, n. 2   *Ed. J. Roger, Amsterdam*

7'

F. I n. 209 - Concerto in sol magg. per violino, archi e organo (o cembalo) *(Malipiero)*

Tomo 460°

Op. XI n. 4   *Ed. Le Cene, Amsterdam*

13'

F. I n. 16 - Concerto in sol min. per violino, archi e cembalo *(Malipiero)*

Tomo 65° 8'30"

T.G. 30, cc 2r - 11r *Ms.*

F. I n. 23 - Concerto in sol min. per violino, archi e organo (o cembalo) « L'Estate » *(Malipiero)*

Tomo 77° 10'

Op. VIII n. 2 *Ed. Le Cene, Amsterdam*

F. I n. 36 - Concerto in sol min. per violino, archi e cembalo *(Malipiero)*

Tomo 92° 9'

T.G. 35, cc 202r - 211v *Ms.*

F. I n. 52 - Concerto in sol min. per violino, archi e organo (o cembalo) *(Malipiero)*

Tomo 127° 10'

Op. IX n. 3 *Ed. Le Cene, Amsterdam*

F. I n. 81 - Concerto in sol min. per violino, archi e cembalo *(Malipiero)*

Tomo 175°   13'

T.F.   31, cc 214r - 226v   *Ms.*

F. I n. 82 - Concerto in sol min. per violino, archi e cembalo *(Malipiero)*

Tomo 178°   9'

T.G.   30, cc 100r - 106v   *Ms.*

F. I n. 108 - Concerto in sol min. per violino, archi e cembalo *(Malipiero)*

Tomo 253°   9'

T.F.   30, cc 126r - 135r   *Ms.*

F. I n. 112 - Concerto in sol min. per violino, archi e cembalo *(Malipiero)*

Tomo 257°   11'30"

T.F.   30, cc 175r - 186v   *Ms.*

F. I n. 122 - Concerto in sol min. per violino, archi e cembalo *(Malipiero)*
Tomo 292°　　　　　　　　　　　　　10'

T.G. 29, cc 136r - 143v *Ms.*

F. I n. 125 - Concerto in sol min. per violino, archi e cembalo *(Malipiero)*
Tomo 295°　　　　　　　　　　　　　14'

T.G. 29, cc 36r - 47r *Ms.*

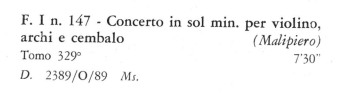

F. I n. 147 - Concerto in sol min. per violino, archi e cembalo *(Malipiero)*
Tomo 329°　　　　　　　　　　　　　7'30"

D. 2389/O/89 *Ms.*

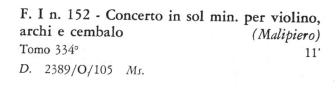

F. I n. 152 - Concerto in sol min. per violino, archi e cembalo *(Malipiero)*
Tomo 334°　　　　　　　　　　　　　11'

D. 2389/O/105 *Ms.*

53

F. I n. 165 - Concerto in sol min. per violino,
archi e cembalo   *(Malipiero)*
Tomo 351°   10'

D. 2389/0/86 *Ms.*

F. I n. 185 - Concerto in sol min. per violino,
archi, cembalo e organo   *(Ephrikian)*
Tomo 423°   10'

Op. IV n. 6 *Ed. E. Roger, Amsterdam*

F. I n. 192 - Concerto in sol min. per violino,
archi e organo (o cembalo)   *(Malipiero)*
Tomo 436°   10'

Op. VI n. 1 *Ed. J. Roger, Amsterdam*

F. I n. 194 - Concerto in sol min. per violino,
archi e organo (o cembalo)   *(Malipiero)*
Tomo 438°   9'

Op. VI n. 3 *Ed. J. Roger, Amsterdam*

F. I n. 199 - Concerto in sol min. per violino, archi e organo (o cembalo) *(Malipiero)*

Tomo 444°   7'

Op. VII, Libro I, n. 3   *Ed. J. Roger, Amsterdam*

F. I n. 211 - Concerto in sol min. per violino, archi e organo (o cembalo) *(Ephrikian)*

Tomo 462°   13'

Op. XII n. 1 *Ed. Le Cene, Amsterdam*

F. I n. 5 - Concerto in la magg. per violino, archi e cembalo *(Maderna)*

Tomo 16°   7'

T.G.   35, cc 255r - 260v *Ms.*

F. I n. 39 - Concerto in la magg. per violino, archi e cembalo *(Malipiero)*

Tomo 100°   11'

T.G.   28, cc 96r - 103v *Ms.*

F. I n. 51 - Concerto in la magg. per violino, archi e organo (o cembalo) *(Malipiero)*
Tomo 126°   9'

Op. IX n. 2   *Ed. Le Cene, Amsterdam*

F. I n. 54 - Concerto in la magg. per violino, archi e organo (o cembalo) *(Malipiero)*
Tomo 129°   12'

Op. IX n. 6   *Ed. Le Cene, Amsterdam*

F. I n. 90 - Concerto in la magg. per violino, archi e cembalo *(Malipiero)*
Tomo 191°   12'

T.G.   30, cc 286r - 295v   *Ms.*

F. I n. 104 - Concerto in la magg. per violino, archi e cembalo *(Malipiero)*
Tomo 229°   11'

T.F.   30, cc 69r - 78v   *Ms.*

F. I n. 106 - Concerto in la magg. per violino, archi e cembalo *(Malipiero)*

Tomo 245°   11'

T.F. 30, cc 24r - 27v e 106r - 113v   *Ms.*

F. I n. 123 - Concerto in la magg. per violino, archi e cembalo *(Malipiero)*

Tomo 293°   11'30"

T.G. 29, cc 144r - 153r   *Ms.*

F. I n. 137 - Concerto in la magg. per violino, archi e cembalo *(Malipiero)*

Tomo 313°   9'

T.G. 29, cc 257r - 266r   *Ms.*

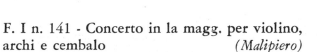

F. I n. 141 - Concerto in la magg. per violino, archi e cembalo *(Malipiero)*

Tomo 323°   10'

D. 2389/O/43   *Ms.*

F. I n. 148 - Concerto in la magg. per violino, archi e cembalo *(Malipiero)*
Tomo 330°   9'30"

D. 2389/O/108 *Ms.*

F. I n. 155 - Concerto in la magg. per violino, archi e cembalo *(Malipiero)*
Tomo 339°   12'

D. 2389/O/51 *Ms.*

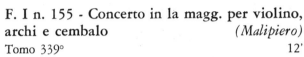

F. I n. 184 - Concerto in la magg. per violino, archi, cembalo e organo *(Ephrikian)*
Tomo 422°   10'

Op. IV n. 5 *Ed. E. Roger, Amsterdam*

F. I n. 221 - Concerto in la magg. per violino, archi e organo (o cembalo) *(Malipiero)*
Tomo 485°   10'

« VI Concerti à 5... » n. 6 *Ed. J. Roger, Amsterdam*

F. I n. 223 - Concerto in la magg. per violino e archi « Il Cucù » *(Malipiero)*

Tomo 487°   11'

« Two Celebrated Concertos... » n. 1   *Ed. Walsh and Hare, London*

F. I n. 224 - Concerto in la magg. per violino, archi e cembalo *(Malipiero)*

Tomo 489°   11'

C.F.   Music MS. 166 (32.G.27.)   *Ms.*

F. I n. 227 - Concerto in la magg. per violino, archi e cembalo *(Malipiero)*

Tomo 496°   12'

S.   Mus. 5566   *Ms.*

F. I n. 53 - Concerto in la min. per violino, archi e organo (o cembalo) *(Malipiero)*

Tomo 128°   9'

Op. IX n. 5   *Ed. Le Cene, Amsterdam*

F. I n. 176 - Concerto in la min. per violino, archi e cembalo *(Malipiero)*

Tomo 411° 5'

Op. III n. 6 *Ed. Roger e Le Cene, Amsterdam*

F. I n. 183 - Concerto in la min. per violino, archi, cembalo e organo *(Ephrikian)*

Tomo 421° 10'

Op. IV n. 4 *Ed. E. Roger, Amsterdam*

F. I n. 200 - Concerto in la min. per violino, archi e organo (o cembalo) *(Malipiero)*

Tomo 445° 9'

Op. VII, Libro I, n. 4 *Ed. J. Roger, Amsterdam*

F. I n. 236 - Concerto in la min. per violino, archi e cembalo *(Malipiero)*

Tomo 519° 12'

U. Instr. Mus. i hs. 61:7a. *Ms.*

F. I n. 1 - Concerto in si bem. magg. per violino, archi e cembalo *(Ephrikian)*

Tomo 1° 13'

T.F. 31, cc 91r - 102r *Ms.*

F. I n. 15 - Concerto in si bem. magg. per violino, archi e cembalo *(Malipiero)*

Tomo 64° 12'

T.G. 35, cc 241r - 249v *Ms.*

F. I n. 29 - Concerto in si bem. magg. per violino, archi e organo (o cembalo) « La Caccia » *(Malipiero)*

Tomo 83° 7'30"

Op. VIII n. 10 *Ed. Le Cene, Amsterdam*

F. I n. 32 - Concerto in si bem. magg. per violino, archi e cembalo *(Malipiero)*

Tomo 86° 10'

T.F. 30, cc 154r - 166r *Ms.*

F. I n. 55 - Concerto in si bem. magg. per violino, archi e organo (o cembalo)

(Malipiero)

Tomo 130°   8'

Op. IX n. 7   *Ed. Le Cene, Amsterdam*

F. I n. 60 - Concerto in si bem. magg. « in due cori » per violino, archi e 2 cembali

(Malipiero)

Tomo 136°   14'

T.F.   29, cc 174r - 193v   *Ms.*

F. I n. 65 - Concerto in si bem. magg. per violino, archi e cembalo   *(Malipiero)*

Tomo 157°   10'

T.F.   31, cc 39r - 51v   *Ms.*

F. I n. 69 - Concerto in si bem. magg. per violino, archi e cembalo   *(Malipiero)*

Tomo 163°   12'

T.F.   31, cc 52r - 63r   *Ms.*

F. I n. 76 - Concerto in si bem. magg. per violino, archi e cembalo *(Malipiero)*
Tomo 170° 10'
T.F. 31, cc 180r - 188v *Ms.*

F. I n. 78 - Concerto in si bem. magg. per violino, archi e cembalo *(Malipiero)*
Tomo 172° 5'
T.F. 31, cc 210r - 213r *Ms.*

F. I n. 86 - Concerto in si bem. magg. per violino, archi e cembalo *(Malipiero)*
Tomo 183° 12'30"
T.G. 30, cc 147r - 157r *Ms.*

F. I n. 95 - Concerto in si bem. magg. per violino, archi e cembalo *(Malipiero)*
Tomo 199° 12'
T.G. 30, cc 172r - 182r *Ms.*

F. I n. 117 - Concerto in si bem. magg. per violino, archi e cembalo *(Malipiero)*
Tomo 262° 12'
T.F. 30, cc 250r - 261v *Ms.*

F. I n. 118 - Concerto in si bem. magg. per violino, archi e cembalo *(Malipiero)*
Tomo 284° 10'30"
T.F. 30, cc 2r - 11v *Ms.*

F. I n. 121 - Concerto in si bem. magg. per violino, archi e cembalo *(Malipiero)*
Tomo 291° 9'
T.G. 29, cc 159r - 166v *Ms.*

F. I n. 150 - Concerto in si bem. magg. per violino, archi e cembalo *(Malipiero)*
Tomo 332° 10'
D. 2389/O/121 *Ms.*

F. I n. 163 - Concerto in si bem. magg. per violino, archi e cembalo « O sia il Corneto da posta » *(Malipiero)*
Tomo 348°   9'

D. 2389/O/73 *Ms.*

F. I n. 170 - Concerto in si bem. magg. per violino, archi e cembalo   *(Prato)*
Tomo 377°   8'

D. 2389/O/126 *Ms.*

F. I n. 180 - Concerto in si bem. magg. per violino, archi, cembalo e organo *(Ephrikian)*
Tomo 418°   12'

Op. IV n. 1   *Ed. E. Roger, Amsterdam*

F. I n. 202 - Concerto in si bem. magg. per violino, archi e organo (o cembalo)
Tomo 447°   *(Malipiero)*

Op. VII, Libro I, n. 6   *Ed. J. Roger, Amsterdam*   8'

F. I n. 204 - Concerto in si bem. magg. per violino, archi e organo (o cembalo)

(Malipiero)

Tomo 450°   12'

Op. VII, Libro II, n. 3   *Ed. J. Roger, Amsterdam*

F. I n. 214 - Concerto in si bem. magg. per violino, archi e organo (o cembalo)

(Ephrikian)

Tomo 466°   14'

Op. XII n. 6   *Ed. Le Cene, Amsterdam*

F. I n. 219 - Concerto in si bem. magg. per violino, archi e organo (o cembalo)

(Malipiero)

Tomo 483°   11'

« Concerti a Cinque... » n. 8   *Ed. J. Roger, Amsterdam*

F. I n. 230 - Concerto in si bem. magg. per violino, archi e cembalo   *(Malipiero)*

Tomo 499°   9'

S. Mus. 5570 *Ms.*

F. I n. 233 - Concerto in si bem. magg. per violino, archi e cembalo   (*Malipiero*)
Tomo 511°   7'

W.O.   E.M. 149 n. 7   *Ms.*

F. I n. 235 - Concerto in si bem. magg. per violino, archi e cembalo   (*Malipiero*)
Tomo 514°   11'

B.D.   Th. 232   *Ms.*

F. I n. 38 - Concerto in si min. per violino, archi e cembalo   (*Malipiero*)
Tomo 96°   11'

T.F.   31, cc 69r - 77v   *Ms.*

F. I n. 50 - Concerto in si min. per violino, archi e organo (o cembalo)   (*Malipiero*)
Tomo 125°   12'

Op. IX n. 12   *Ed. Le Cene, Amsterdam*

F. I n. 77 - Concerto in si min. per violino, archi e cembalo *(Malipiero)*
Tomo 171°   12'30"
T.F. 31, cc 132r - 143r   *Ms.*

F. I n. 83 - Concerto in si min. per violino, archi e cembalo *(Malipiero)*
Tomo 179°   13'
T.G. 30, cc 129r - 138r   *Ms.*

F. I n. 115 - Concerto in si min. per violino, archi e cembalo *(Malipiero)*
Tomo 260°   12'
T.F. 30, cc 240r - 249v   *Ms.*

F. I n. 144 - Concerto in si min. per violino, archi e cembalo *(Malipiero)*
Tomo 326°   9'
D. 2389/O/88   *Ms.*

F. I n. 171 - Concerto in si min. per violino, archi e cembalo *(Prato)*

Tomo 378°   9'

D. 2389/O/120 *Ms.*

F. I n. 229 - Concerto in si min. per violino, archi e cembalo *(Malipiero)*

Tomo 498°   12'

S. Mus. 5569 *Ms.*

CONCERTI PER 2, 3 O 4 VIOLINI

F. I n. 43 - Concerto in do magg. per 2 violini,
archi e cembalo   *(Malipiero)*
Tomo 112°   13'

T.G. 35, cc 269r - 278r *Ms.*

F. I n. 44 - Concerto in do magg. per 2 violini,
archi e cembalo   *(Malipiero)*
Tomo 116°   11'

T.G. 28, cc 246r - 256v *Ms.*

F. I n. 85 - Concerto in do magg. per 2 violini,
archi e cembalo   *(Malipiero)*
Tomo 181°   9'30"

T.G. 30, cc 228r - 237r *Ms.*

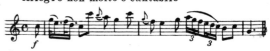

F. I n. 157 - Concerto in do magg. per 2 violini, archi e cembalo *(Malipiero)*
Tomo 342°   10'
D. 2389/O/52 *Ms.*

F. I n. 12 - Concerto in do min. per 2 violini, archi e cembalo *(Olivieri)*
Tomo 48°   9'30"
T.G. 28, cc 200r - 207v *Ms.*

F. I n. 14 - Concerto in do min. per 2 violini, archi e cembalo *(Malipiero)*
Tomo 60°   7'
T.G. 28, cc 89r - 94v *Ms.*

F. I n. 35 - Concerto in re magg. per 2 violini, archi e cembalo *(Malipiero)*
Tomo 89°   12'
T.G. 28, cc 234r - 245r *Ms.*

F. I n. 41 - Concerto in re magg. per 2 violini, archi e cembalo *(Malipiero)*
Tomo 108° 10'
T.G. 28, cc 226r - 233r *Ms.*

F. I n. 222 - Concerto in re magg. per 2 violini, archi e organo (o cembalo) *(Malipiero)*
Tomo 486° 15'
« VI Concerti a Cinque... » Libro II, n. 6
Ed. Witvogel, Amsterdam

F. I n. 100 - Concerto in re min. per 2 violini, archi e cembalo *(Malipiero)*
Tomo 209° 10'
T.F. 29, cc 19r - 28v *Ms.*

F. I n. 101 - Concerto in mi bem. magg. per 2 violini, archi e cembalo *(Malipiero)*
Tomo 210° 12'30"
T.F. 29, cc 29r - 39r *Ms.*

72

F. I n. 174 - Concerto in mi min. per 4 violini, archi e cembalo   *(Malipiero)*
Tomo 409°   8'

Op. III n. 4   *Ed. Roger e Le Cene, Amsterdam*

F. I n. 34 - Concerto in fa magg. per 3 violini, archi e cembalo   *(Malipiero)*
Tomo 88°   9'

T.G.   28, cc 45r - 54v   *Ms.*

F. I n. 6 - Concerto in sol magg. per 2 violini, archi e cembalo   *(Ephrikian)*
Tomo 27°   9'

T.G.   28, cc 79r - 88r   *Ms.*

F. I n. 98 - Concerto in sol min. per 2 violini, archi e cembalo   *(Malipiero)*
Tomo 207°   9'

T.F.   29, cc 12r - 18v   *Ms.*

F. I n. 139 - Concerto in la magg. per violino, 3 violini « per eco », archi e cembalo

Tomo 319° *(Malipiero)*

D. 2389/O/4(b) *Ms.* 13'

F. I n. 159 - Concerto in la magg. per 2 violini, archi e cembalo *(Malipiero)*

Tomo 344° 10'

D. 2389/O/4(b) *Ms.*

F. I n. 175 - Concerto in la magg. per 2 violini, archi e cembalo *(Malipiero)*

Tomo 410° 7'

Op. III n. 5 *Ed. Roger e Le Cene, Amsterdam*

F. I n. 61 - Concerto in la min. per 2 violini, archi e cembalo *(Malipiero)*

Tomo 140° 10'

T.G. 35, cc 286r - 296v *Ms.*

F. I n. 177 - Concerto in la min. per 2 violini, archi e cembalo *(Malipiero)*

Tomo 413°   10'

Op. III n. 8   *Ed. Roger e Le Cene, Amsterdam*

F. I n. 40 - Concerto in si bem. magg. per 2 violini, archi e cembalo *(Malipiero)*

Tomo 107°   11'

T.G.   28, cc 208r - 215v   *Ms.*

F. I n. 42 - Concerto in si bem. magg. per 2 violini, archi e cembalo *(Malipiero)*

Tomo 111°   11'

T.G.   28, cc 216r - 225v   *Ms.*

F. I n. 57 - Concerto in si bem. magg. per 2 violini, archi e organo (o cembalo)

                                             (Malipiero)

Tomo 132°   10'

Op. IX n. 9   *Ed. Le Cene, Amsterdam*

F. I n. 59 - Concerto in si bem. magg. per 4
violini, viole, violoncelli e cembalo

(Malipiero)

Tomo 134°   11'

T.F.   29, cc 47r - 68v   *Ms.*

F. I n. 63 - Concerto in si bem. magg. per 2
violini, archi e cembalo   *(Malipiero)*

Tomo 145°   10'

T.G.   28, cc 190r - 199r   *Ms.*

F. I n. 99 - Concerto in si bem. magg. per 2
violini, archi e cembalo   *(Malipiero)*

Tomo 208°   10'

T.F.   29, cc 1r - 10v   *Ms.*

CONCERTI PER VIOLA D'AMORE

F. II n. 5 - Concerto in re magg. per viola d'amore, archi e cembalo *(Malipiero)*
Tomo 337°   10'
D. 2389/O/84 *Ms.*

F. II n. 2 - Concerto in re min. per viola d'amore, archi e cembalo *(Malipiero)*
Tomo 196°   8'
T.F. 29, cc 311r - 318v *Ms.*

F. II n. 3 - Concerto in re min. per viola d'amore, archi e cembalo *(Malipiero)*
Tomo 197°   9'
T.F. 29, cc 301r - 309v *Ms.*

F. II n. 4 - Concerto in re min. per viola d'amore, archi e cembalo *(Malipiero)*

Tomo 198°   10'30"

T.F. 29, cc 319r - 323v *Ms.*

F. II n. 1 - Concerto in la magg. per viola d'amore, archi e cembalo *(Malipiero)*

Tomo 189°   10'

T.F. 29, cc 324r - 330v *Ms.*

F. II n. 6 - Concerto in la min. per viola d'amore, archi e cembalo *(Malipiero)*

Tomo 341°   9'

D. 2389/O/82 *Ms.*

CONCERTI PER 1 O 2 VIOLONCELLI

F. III n. 3 - Concerto in do magg. per violoncello, archi e cembalo   *(Malipiero)*
Tomo 204°   11'30"

T.F.   29, cc 41r - 46v   *Ms.*

F. III n. 6 - Concerto in do magg. per violoncello, archi e cembalo   *(Malipiero)*
Tomo 211°   7'30"

T.F.   29, cc 134r - 140r   *Ms.*

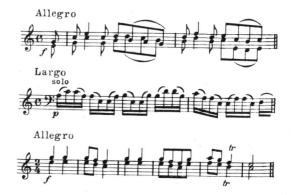

F. III n. 8 - Concerto in do magg. per violoncello, archi e cembalo   *(Malipiero)*
Tomo 218°   8'30"

T.F.   29, cc 112r - 117v   *Ms.*

F. III n. 1 - Concerto in do min. per violoncello, archi e cembalo *(Ephrikian)*

Tomo 19° 11'

T.G. 28, cc 20r - 28r *Ms.*

F. III n. 27 - Concerto in do min. per violoncello, archi e cembalo *(Zobeley)*

Tomo 527° 10'

W.S. 778 *Ms.*

F. III n. 16 - Concerto in re magg. per violoncello, archi e cembalo *(Malipiero)*

Tomo 235° 8'

T.F. 29, cc 166r - 173r *Ms.*

F. III n. 20 - Concerto in re magg. per violoncello, archi e cembalo *(Malipiero)*

Tomo 500° 10'

S. Mus. 5574 *Ms.*

F. III n. 7 - Concerto in re min. per violoncello, archi e cembalo *(Malipiero)*
Tomo 212° 9'

T.F. 29, cc 142r - 148v *Ms.*

F. III n. 23 - Concerto in re min. per violoncello e archi *(Zobeley)*
Tomo 523° 9'

W.S. 771 *Ms.*

F. III n. 24 - Concerto in re min. per violoncello, archi e cembalo *(Zobeley)*
Tomo 524° 10'

W.S. 772 *Ms.*

F. III n. 5 - Concerto in mi bem. magg. per violoncello, archi e cembalo *(Malipiero)*
Tomo 206° 10'

T.F. 29, cc 77r - 82v *Ms.*

F. III n. 11 - Concerto in fa magg. per violoncello, archi e cembalo *(Malipiero)*
Tomo 221°   7'
T.F. 29, cc 158r - 165v   *Ms.*

F. III n. 14 - Concerto in fa magg. per violoncello, archi e cembalo *(Malipiero)*
Tomo 233°   6'30"
T.F. 29, cc 219r - 225r   *Ms.*

F. III n. 17 - Concerto in fa magg. per violoncello, archi e cembalo *(Malipiero)*
Tomo 243°   10'30"
T.F. 29, cc 247r - 254v   *Ms.*

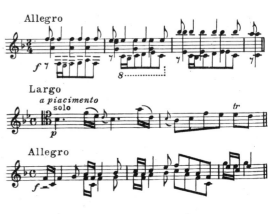

F. III n. 12 - Concerto in sol magg. per violoncello, archi e cembalo *(Malipiero)*
Tomo 231°   10'
T.F. 29, cc 227r - 236r   *Ms.*

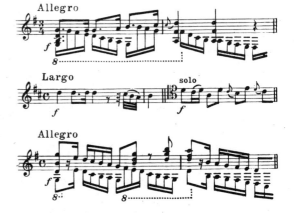

**F. III n. 19 - Concerto in sol magg. per vio-
loncello, archi e cembalo** *(Malipiero)*
Tomo 317°   11'

T.F. 29, cc 101r - 111r *Ms.*

**F. III n. 22 - Concerto in sol magg. per vio-
loncello, archi e cembalo** *(Zobeley)*
Tomo 522°   9'

W.S. 770 *Ms.*

**F. III n. 2 - Concerto in sol min. per 2 vio-
loncelli, archi e cembalo** *(Malipiero)*
Tomo 61°   10'

T.G. 35, cc 279r - 284r *Ms.*

**F. III n. 15 - Concerto in sol min. per violon-
cello, archi e cembalo** *(Malipiero)*
Tomo 234°   9'30"

T.F. 29, cc 211r - 218r *Ms.*

**F. III n. 26 - Concerto in sol min. per violon-
cello, archi e cembalo** *(Zobeley)*
Tomo 526° 10'

W.S. 776 Ms.

**F. III n. 4 - Concerto in la min. per violon-
cello, archi e cembalo** *(Malipiero)*
Tomo 205° 10'

T.F. 29, cc 69r - 76v Ms.

**F. III n. 10 - Concerto in la min. per violon-
cello, archi e cembalo** *(Malipiero)*
Tomo 220° 7'

T.F. 29, cc 118r - 123v Ms.

**F. III n. 13 - Concerto in la min. per violon-
cello, archi e cembalo** *(Malipiero)*
Tomo 232° 7'

T.F. 29, cc 204r - 210v Ms.

F. III n. 18 - Concerto in la min. per violon-cello, archi e cembalo *(Malipiero)*
Tomo 244°   10'

T.F.   29, cc 237r - 246v   *Ms.*

F. III n. 21 - Concerto in la min. per violon-cello, archi e cembalo *(Zobeley)*
Tomo 521°   10'30"

W.S.   769   *Ms.*

F. III n. 25 - Concerto in si bem. magg. per violoncello e archi *(Zobeley)*
Tomo 525°   10'30"

W.S.   774   *Ms.*

F. III n. 9 - Concerto in si min. per violon-cello, archi e cembalo *(Malipiero)*
Tomo 219°   10'

T.F.   29, cc 150r - 157v   *Ms.*

F. IV n. 3 - Concerto in do magg. per violino,
2 violoncelli, archi e cembalo   *(Malipiero)*

Tomo 53°   9'

T.G.   28, cc 29r - 34v   Ms.

F. IV n. 4 - Concerto in re magg. per 2 violini,
2 violoncelli, archi e cembalo   *(Malipiero)*

Tomo 99°   11'

T.G.   28, cc 151r - 169r   *Ms.*

F. IV n. 7 - Concerto in re magg. per 4 violini,
violoncello, archi e cembalo   *(Malipiero)*

Tomo 406°   10'

Op. III n. 1   *Ed. Roger e Le Cene, Amsterdam*

F. IV n. 11 - Concerto in re min. per 2 violini, violoncello, archi e cembalo *(Malipiero)*
Tomo 416°   9'

Op. III n. 11   *Ed. Roger e Le Cene, Amsterdam*

F. IV n. 5 - Concerto in fa magg. per violino, violoncello, archi e cembalo « Il Proteo o sia il mondo al rovescio » *(Malipiero)*
Tomo 135°   11'

T.G.   28, cc 2r - 9r   *Ms.*

F. IV n. 9 - Concerto in fa magg. per 4 violini, violoncello, archi e cembalo *(Malipiero)*
Tomo 412°   10'

Op. III n. 7   *Ed. Roger e Le Cene, Amsterdam*

F. IV n. 1 - Concerto in sol magg. per 2 violini, 2 violoncelli, archi e cembalo *(Ephrikian)*
Tomo 26°   10'

T.G.   28, cc 134r - 150v   *Ms.*

F. IV n. 8 - Concerto in sol min. per 2 violini, violoncello, archi e cembalo   *(Malipiero)*
Tomo 407°   10'

Op. III n. 2   *Ed. Roger e Le Cene, Amsterdam*

F. IV n. 6 - Concerto in la magg. per violino, violoncello, archi e cembalo   *(Malipiero)*
Tomo 146°   10'

T.G.   28, cc 180r - 188v   *Ms.*

F. IV n. 2 - Concerto in si bem. magg. per violino, violoncello, archi e cembalo
                                                    (Ephrikian)
Tomo 35°   11'

T.G.   28, cc 171r - 179v   *Ms.*

F. IV n. 10 - Concerto in si min. per 4 violini, violoncello, archi e cembalo   *(Malipiero)*
Tomo 415°   11'

Op. III n. 10 *Ed. Roger e Le Cene, Amsterdam*

CONCERTI PER 1 O 2 MANDOLINI

F. V n. 1 - Concerto in do magg. per mandolino, archi e cembalo   *(Malipiero)*
Tomo 98°   7'

T.G.   28, cc 112r°- 118v   *Ms.*

F. V n. 2 - Concerto in sol magg. per 2 mandolini, archi e organo   *(Malipiero)*
Tomo 104°   12'

T.G.   28, cc 104r - 111v   *Ms.*

89

CONCERTI PER 1 O 2 FLAUTI

F. VI n. 2 - Concerto in do magg. per 2 flauti, archi e cembalo *(Malipiero)*

Tomo 101°   8'

T.G.   31, cc 206r - 212v   *Ms.*

F. VI n. 11 - Concerto in do min. per flauto, archi e cembalo *(Malipiero)*

Tomo 159°   13'

T.G.   31, cc 374r - 384r   *Ms.*

RV441

F. VI n. 3 - Concerto in re magg. per flauto, archi e cembalo *(Malipiero)*

Tomo 102°   12'

T.G.   31, cc 213r - 219v   *Ms.*

F. VI n. 10 - Concerto in re magg. per flauto, archi e cembalo *(Malipiero)*

Tomo 153°   10'

T.G.   31, cc 260r - 265v   Ms.

F. VI n. 14 - Concerto in re magg. per flauto, archi e organo (o cembalo) « Il Gardellino » *(Malipiero)*

Tomo 456°   11'

Op. X n. 3   *Ed. Le Cene, Amsterdam*

F. VI n. 1 - Concerto in fa magg. per flauto, archi e cembalo *(Ephrikian)*

Tomo 46°   10'

T.G.   31, cc 347r - 352v   Ms.

F. VI n. 12 - Concerto in fa magg. per flauto, archi e organo (o cembalo) « La Tempesta di mare » *(Malipiero)*

Tomo 454°   8'

Op. X n. 1   *Ed. Le Cene, Amsterdam*

F. VI n. 6 - Concerto in sol magg. per flauto, archi e cembalo *(Malipiero)*
Tomo 138°   10'30"

T.G.   31, cc 250r - 259v   *Ms.*

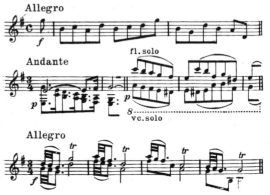

F. VI n. 8 - Concerto in sol magg. per flauto, archi e cembalo *(Malipiero)*
Tomo 151°   9'30"

T.G.   31, cc 396r - 403v   *Ms.*

F. VI n. 15 - Concerto in sol magg. per flauto, archi e organo (o cembalo) *(Malipiero)*
Tomo 457°   8'

Op. X n. 4   *Ed. Le Cene, Amsterdam*

F. VI n. 16 - Concerto in sol magg. per flauto, archi e organo (o cembalo) *(Malipiero)*
Tomo 458°   10'

Op. X n. 6   *Ed. Le Cene, Amsterdam*

F. VI n. 13 - Concerto in sol min. per flauto, archi e organo (o cembalo) « La Notte »

(Malipiero)

Tomo 455°   10'

Op. X n. 2   *Ed. Le Cene, Amsterdam*

F. VI n. 7 - Concerto in la min. per flauto, archi e cembalo

(Malipiero)

Tomo 148°   9'

T.G.   31, cc 386r - 394v   *Ms.*

CONCERTI PER OTTAVINO

**F. VI n. 4 - Concerto in do magg. per otta-
vino, archi e cembalo** *(Malipiero)*
Tomo 105°   11'

T.G.   31, cc 292r - 301v   *Ms.*

**F. VI n. 5 - Concerto in do magg. per otta-
vino, archi e cembalo** *(Malipiero)*
Tomo 110°   10'

T.G.   31, cc 272r - 281r   *Ms.*

**F. VI n. 9 - Concerto in la min. per ottavino,
archi e cembalo** *(Malipiero)*
Tomo 152°   10'

T.G.   31, cc 433r - 442r   *Ms.*

CONCERTI PER 1 O 2 OBOI

F. VII n. 3 - Concerto in do magg. per 2 oboi, archi e cembalo *(Malipiero)*
Tomo 139°   10'30"

T.G.   34, cc 65r - 74r   *Ms.*

F. VII n. 4 - Concerto in do magg. per oboe, archi e cembalo *(Malipiero)*
Tomo 222°   9'30"

T.F.   32, cc 33r - 39v   *Ms.*

F. VII n. 6 - Concerto in do magg. per oboe, archi e cembalo *(Malipiero)*
Tomo 216°   14'30"

T.F.   32, cc 4r - 13v   *Ms.*

F. VII n. 7 - Concerto in do magg. per oboe, archi e cembalo *(Malipiero)*

Tomo 217°   10'

T.F.   32, cc 23r - 32v   *Ms.*

F. VII n. 11 - Concerto in do magg. per oboe, archi e cembalo *(Malipiero)*

Tomo 283°   10'

T.F.   32, cc 173r - 176v e 162r - 171v   *Ms.*

F. VII n. 17 - Concerto in do magg. per oboe, archi e cembalo *(Malipiero)*

Tomo 520°   8'

U.   Instr. mus. i hs. 61 : 6b.   *Ms.*

F. VII n. 10 - Concerto in re magg. per oboe, archi e cembalo *(Malipiero)*

Tomo 279°   9'

T.F.   32, cc 369r - 375v   *Ms.*

96

F. VII n. 1 - Concerto in re min. per oboe, archi e cembalo *(Ephrikian)*

Tomo 2° 7'30"

T.F. 32, cc 41r - 49r *Ms.*

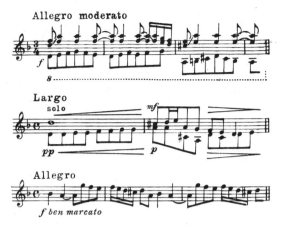

F. VII n. 9 - Concerto in re min. per 2 oboi, archi e cembalo *(Malipiero)*

Tomo 264° 9'

T.F. 32, cc 269r - 282v *Ms.*

F. VII n. 2 - Concerto in fa magg. per oboe, archi e cembalo *(Ephrikian)*

Tomo 14° 10'

T.F. 32, cc 361r - 368v *Ms.*

F. VII n. 12 - Concerto in fa magg. per oboe, archi e cembalo *(Malipiero)*

Tomo 315° 9'

T.G. 31, cc 34r - 37r e 38r - 46v *Ms.*

F. VII n. 16 - Concerto in fa magg. per oboe, archi e organo (o cembalo) *(Malipiero)*
Tomo 488°   9'

« Harmonia Mundi... » n. 5   *Ed. Walsh and Hare, London*

F. VII n. 5 - Concerto in la min. per oboe, archi e cembalo *(Malipiero)*
Tomo 215°   9'

T.F.   32, cc 14r - 21r   *Ms.*

F. VII n. 8 - Concerto in la min. per 2 oboi, archi e cembalo *(Malipiero)*
Tomo 263°   8'

T.F.   32, cc 221r - 232v   *Ms.*

F. VII n. 13 - Concerto in la min. per oboe, archi e cembalo *(Malipiero)*
Tomo 316°   10'

T.F.   32, cc 2r - 3v e 35, cc 305r - 312v   *Ms.*

F. VII n. 14 - Concerto in si bem. magg. per oboe, archi e organo (o cembalo)

(Malipiero)

Tomo 442°   6'

Op. VII, Libro I, n. 1   *Ed. J. Roger, Amsterdam*

F. VII n. 15 - Concerto in si bem. magg. per oboe, archi e organo (o cembalo)

(Malipiero)

Tomo 448°   7'

Op. VII, Libro II, n. 1   *Ed. J. Roger, Amsterdam*

CONCERTI PER FAGOTTO

F. VIII n. 3 - Concerto in do magg. per fagotto, archi e cembalo   *(Ephrikian)*
Tomo 34°   9'
T.G.   31, cc 26r - 33v   *Ms.*

F. VIII n. 4 - Concerto in do magg. per fagotto, archi e cembalo   *(Amendola)*
Tomo 47°   7'30"
T.G.   31, cc 2r - 9r   *Ms.*

F. VIII n. 9 - Concerto in do magg. per fagotto, archi e cembalo   *(Malipiero)*
Tomo 118°   15'
T.G.   35, cc 313r - 320r   *Ms.*

F. VIII n. 13 - Concerto in do magg. per fagotto, archi e cembalo   *(Malipiero)*
Tomo 224°   11'
T.F.   32, cc 95r - 102v   *Ms.*

F. VIII n. 16 - Concerto in do magg. per fagotto, archi e cembalo *(Malipiero)*
Tomo 237°   11'30"

T.F.   32, cc 154r - 161v   *Ms.*

F. VIII n. 17 - Concerto in do magg. per fagotto, archi e cembalo *(Malipiero)*
Tomo 238°   8'30"

T.F.   32, cc 87r - 94v   *Ms.*

F. VIII n. 18 - Concerto in do magg. per fagotto, archi e cembalo *(Malipiero)*
Tomo 239°   10'30"

T.F.   32, cc 126r - 134r   *Ms.*

F. VIII n. 21 - Concerto in do magg. per fagotto, archi e cembalo *(Malipiero)*
Tomo 267°   9'

T.F.   32, cc 309r - 316v   *Ms.*

F. VIII n. 26 - Concerto in do magg. per fagotto, archi e cembalo *(Malipiero)*
Tomo 272°   9,30'

T.F. 32, cc 211r - 219r   *Ms.*

F. VIII n. 28 - Concerto in do magg. per fagotto, archi e cembalo *(Malipiero)*
Tomo 274°   10'

T.F. 32, cc 194r - 201v   *Ms.*

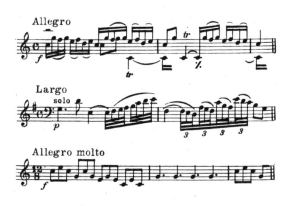

F. VIII n. 31 - Concerto in do magg. per fagotto, archi e cembalo *(Malipiero)*
Tomo 277°   7'30"

T.F. 32, cc 419r - 425r   *Ms.*

F. VIII n. 33 - Concerto in do magg. per fagotto, archi e cembalo *(Malipiero)*
Tomo 281°   10'

T.F. 32, cc 301r - 308v   *Ms.*

F. VIII n. 34 - Concerto in do magg. per fagotto, archi e cembalo *(Malipiero)*
Tomo 282°   10'

T.F.   32, cc 162r - 171v   *Ms.*

F. VIII n. 14 - Concerto in do min. per fagotto, archi e cembalo *(Malipiero)*
Tomo 225°   9'

T.F.   32, cc 117r - 124r   *Ms.*

F. VIII n. 5 - Concerto in re min. per fagotto, archi e cembalo *(Malipiero)*
Tomo 67°   9'

T.G.   31, cc 56r - 63v   *Ms.*

F. VIII n. 27 - Concerto in mi bem. magg. per fagotto, archi e cembalo *(Malipiero)*
Tomo 273°   9'

T.F.   32, cc 177r - 184v   *Ms.*

F. VIII n. 6 - Concerto in mi min. per fagotto, archi e cembalo *(Malipiero)*

Tomo 71°   10'

T.G.   31, cc 10r - 17v   *Ms.*

F. VIII n. 8 - Concerto in fa magg. per fagotto, archi e cembalo *(Malipiero)*

Tomo 109°   10'

T.G.   31, cc 38r - 46v   *Ms.*

F. VIII n. 15 - Concerto in fa magg. per fagotto, archi e cembalo *(Malipiero)*

Tomo 236°   8'30"

T.F.   32, cc 135r - 141v   *Ms.*

F. VIII n. 19 - Concerto in fa magg. per fagotto, archi e cembalo *(Malipiero)*

Tomo 240°   11'30"

T.F.   32, cc 143r - 152v   *Ms.*

104

F. VIII n. 20 - Concerto in fa magg. per fagotto, archi e cembalo *(Malipiero)*
Tomo 266°   10'

T.F. 32, cc 333r - 340v *Ms.*

F. VIII n. 22 - Concerto in fa magg. per fagotto, archi e cembalo *(Malipiero)*
Tomo 268°   8'30"

T.F. 32, cc 317r - 324r *Ms.*

F. VIII n. 25 - Concerto in fa magg. per fagotto, archi e cembalo *(Malipiero)*
Tomo 271°   8'30"

T.F. 32, cc 202r - 209r *Ms.*

F. VIII n. 32 - Concerto in fa magg. per fagotto, archi e cembalo *(Malipiero)*
Tomo 278°   10'

T.F. 32, cc 403r - 410v *Ms.*

F. VIII n. 29 - Concerto in sol magg. per fagotto, archi e cembalo *(Malipiero)*
Tomo 275°   9'30"

T.F. 32, cc 283r - 289v *Ms.*

F. VIII n. 30 - Concerto in sol magg. per fagotto, archi e cembalo *(Malipiero)*
Tomo 276°   7'

T.F. 32, cc 411r - 418r *Ms.*

F. VIII n. 37 - Concerto in sol magg. per fagotto, archi e cembalo *(Malipiero)*
Tomo 300°   10'

T.F. 32, cc 394r - 401v *Ms.*

F. VIII n. 11 - Concerto in sol min. per fagotto, archi e cembalo *(Malipiero)*
Tomo 214°   11'30"

T.F. 32, cc 103r - 110r *Ms.*

F. VIII n. 23 - Concerto in sol min. per fagotto, archi e cembalo *(Malipiero)*
Tomo 269°   11'

T.F.   32, cc 325r - 332r   *Ms.*

F. VIII n. 2 - Concerto in la min. per fagotto, archi e cembalo *(Ephrikian)*
Tomo 28°   10'

T.G.   31, cc 18r - 25v   *Ms.*

F. VIII n. 7 - Concerto in la min. per fagotto, archi e cembalo *(Malipiero)*
Tomo 72°   10'

T.G.   31, cc 48r - 55v   *Ms.*

F. VIII n. 10 - Concerto in la min. per fagotto, archi e cembalo *(Malipiero)*
Tomo 119°   10'

T.G.   35, cc 305r - 312v   *Ms.*

F. VIII n. 12 - Concerto in la min. per fagotto, archi e cembalo *(Malipiero)*

Tomo 223°   9'

T.F.   32, cc 111r - 116v   *Ms.*

F. VIII n. 1 - Concerto in si bem. magg. per fagotto, archi e cembalo « La Notte »

(Ephrikian)

Tomo 12°   10'

T.G.   31, cc 64r - 71v   *Ms.*

F. VIII n. 24 - Concerto in si bem. magg. per fagotto, archi e cembalo *(Malipiero)*

Tomo 270°   12'

T.F.   32, cc 185r - 193v   *Ms.*

F. VIII n. 35 - Concerto in si bem. magg. per fagotto, archi e cembalo *(Malipiero)*

Tomo 298°   9'

T.F.   32, cc 386r - 393v   *Ms.*

F. VIII n. 36 - Concerto in si bem. magg. per fagotto, archi e cembalo *(Malipiero)*

Tomo 299°   11'

T.F. 32, cc 376r - 384r *Ms.*

CONCERTO PER 2 TROMBE

F. IX n. 1 - Concerto in do magg. per 2 trombe, archi e cembalo   *(Malipiero)*

Tomo 97°   7'

T.G.   31, cc 198r - 205v   *Ms.*

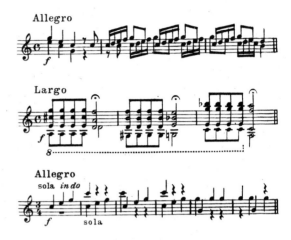

CONCERTI PER 2 CORNI

F. X n. 1 - Concerto in fa magg. per 2 corni, archi e cembalo   *(Malipiero)*
Tomo 91°   7'
T.G.   31, cc 164r - 175v   *Ms.*

F. X n. 2 - Concerto in fa magg. per 2 corni, archi e cembalo   *(Malipiero)*
Tomo 121°   9'
T.G.   31, cc 176r - 188v   *Ms.*

F. XI n. 23 - Concerto in do magg. per archi
e cembalo   *(Malipiero)*
Tomo 185°   4'30"

T.G.   30, cc 274r - 277v   *Ms.*

F. XI n. 25 - Concerto in do magg. per archi
e cembalo   *(Malipiero)*
Tomo 200°   4'30"

T.G.   29, cc 132r - 135r   *Ms.*

F. XI n. 37 - Concerto in do magg. per archi
e cembalo   *(Malipiero)*
Tomo 308°   7'

T.G.   29, cc 267r - 270v   *Ms.*

F. XI n. 38 - Concerto in do magg. per archi
e cembalo   *(Malipiero)*
Tomo 309°   4'

T.G.   29, cc 254r - 256v   *Ms.*

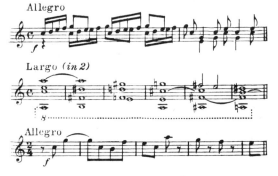

F. XI n. 44 - Concerto in do magg. per archi e cembalo *(Malipiero)*

Tomo 493° 8'

P.   Ac. e. [4] 346 (A-D) n. 5   *Ms.*

F. XI n. 46 - Concerto in do magg. per archi e cembalo *(Malipiero)*

Tomo 506° 8'

A.   Aiguillon n. 143   *Ms.*

F. XI n. 47 - Concerto in do magg. per archi e cembalo *(Malipiero)*

Tomo 507° 6'

W.O.   E.M. 147   *Ms.*

F. XI n. 48 - Concerto in do magg. per archi e organo *(Malipiero)*

Tomo 509° 8'

W.O.   E.M. 148b.   *Ms.*

F. XI n. 8 - Concerto in do min. per archi e cembalo *(Maderna)*

Tomo 30° 6'30"

T.F. 30, cc 227r - 231v *Ms.*

F. XI n. 9 - Concerto in do min. per archi e cembalo *(Maderna)*

Tomo 32° 6'

T.G. 30, cc 57r - 62v *Ms.*

F. XI n. 20 - Concerto in do min. per archi e cembalo *(Malipiero)*

Tomo 177° 6'

T.G. 30, cc 112r - 117r *Ms.*

F. XI n. 15 - Concerto in re magg. per archi e cembalo *(Malipiero)*

Tomo 113° 6'

T.G. 30, cc 22r - 26v *Ms.*

F. XI n. 16 - Concerto in re magg. per archi e cembalo *(Malipiero)*
Tomo 114°   6'
T.G.   29, cc 23r - 28r   *Ms.*

F. XI n. 30 - Concerto in re magg. per archi e cembalo *(Malipiero)*
Tomo 246°   6'30"
T.F.   30, cc 118r - 124r   *Ms.*

F. XI n. 42 - Concerto in re magg. per archi e organo (o cembalo) *(Ephrikian)*
Tomo 464°   6'
Op. XII n. 3   *Ed. Le Cene, Amsterdam*

F. XI n. 10 - Concerto in re min. per archi e cembalo « Madrigalesco » *(Ephrikian)*
Tomo 36°   6'
T.G.   34, cc 111r - 114r   *Ms.*

F. XI n. 19 - Concerto in re min. per archi e cembalo *(Malipiero)*
Tomo 176°   5'
T.G.   30, cc 108r - 111v   *Ms.*

F. XI n. 31 - Concerto in re min. per archi e cembalo *(Malipiero)*
Tomo 251°   6'
T.F.   30, cc 232r - 238v   *Ms.*

F. XI n. 18 - Concerto in mi magg. per archi e cembalo *(Malipiero)*
Tomo 161°   5'
T.F.   31, cc 144r - 147r   *Ms.*

F. XI n. 50 - Concerto in mi magg. per archi e cembalo *(Malipiero)*
Tomo 515°   10'
B.S.   22394/1   *Ms.*

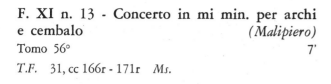

F. XI n. 13 - Concerto in mi min. per archi e cembalo *(Malipiero)*
Tomo 56°   7'
T.F.   31, cc 166r - 171r   *Ms.*

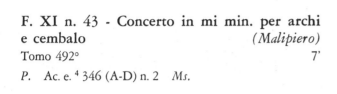

F. XI n. 43 - Concerto in mi min. per archi e cembalo *(Malipiero)*
Tomo 492°   7'
P.   Ac. e. [4] 346 (A-D) n. 2   *Ms.*

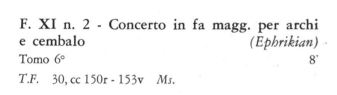

F. XI n. 2 - Concerto in fa magg. per archi e cembalo *(Ephrikian)*
Tomo 6°   8'
T.F.   30, cc 150r - 153v   *Ms.*

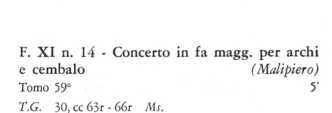

F. XI n. 14 - Concerto in fa magg. per archi e cembalo *(Malipiero)*
Tomo 59°   5'
T.G.   30, cc 63r - 66r   *Ms.*

F. XI n. 28 - Concerto in fa magg. per archi e cembalo *(Malipiero)*
Tomo 241°   7'
T.F.   30, cc 114r - 117v   *Ms.*

F. XI n. 29 - Concerto in fa magg. per archi e cembalo *(Malipiero)*
Tomo 242°   6'30"
T.F.   30, cc 101r - 105v   *Ms.*

F. XI n. 34 - Concerto in fa magg. per archi e cembalo *(Malipiero)*
Tomo 288°   6'
T.G.   29, cc 120r - 125v   *Ms.*

F. XI n. 51 - Concerto in fa magg. per archi e cembalo *(Malipiero)*
Tomo 516°   7'
B.S.   22394/5   *Ms.*

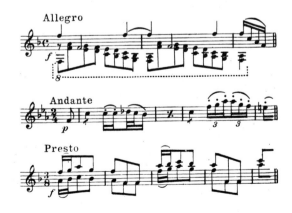

F. XI n. 35 - Concerto in fa min. per archi e cembalo   *(Malipiero)*
Tomo 289°   6'

T.G. 29, cc 126r - 129v   *Ms.*

F. XI n. 11 - Concerto in sol magg. per archi e cembalo « Alla rustica »   *(Malipiero)*
Tomo 49°   4'

T.G. 34, cc 151r - 154v   *Ms.*

F. XI n. 32 - Concerto in sol magg. per archi e cembalo   *(Malipiero)*
Tomo 252°   4'

T.F. 30, cc 136r - 139v   *Ms.*

F. XI n. 36 - Concerto in sol magg. per archi e cembalo   *(Malipiero)*
Tomo 290°   5'

T.G. 29, cc 154r - 158v   *Ms.*

F. XI n. 40 - Sinfonia in sol magg. per archi e cembalo *(Malipiero)*
Tomo 321°   5'30"
D.   2389/O/4(d)   *Ms.*

F. XI n. 41 - Concerto in sol magg. per archi e cembalo *(Malipiero)*
Tomo 361°   6'
D.   2389/N/2(3)   *Ms.*

F. XI n. 45 - Concerto in sol magg. per archi e cembalo *(Malipiero)*
Tomo 505°   5'
A.   Aiguillon n. 143   *Ms.*

F. XI n. 49 - Concerto in sol magg. per archi e cembalo *(Malipiero)*
Tomo 512°   10'
W.O.   E.M. 148g.   *Ms.*

F. XI n. 6 - Concerto in sol min. per archi e cembalo *(Malipiero)*

Tomo 11° 12'

T.G. 35, cc 188r - 193r *Ms.*

F. XI n. 17 - Concerto in sol min. per archi e cembalo *(Malipiero)*

Tomo 115° 6'

T.G. 29, cc 29r - 35r *Ms.*

F. XI n. 21 - Concerto in sol min. per archi e cembalo *(Malipiero)*

Tomo 182° 7'

T.G. 30, cc 248r - 254r *Ms.*

F. XI n. 27 - Concerto in sol min. per archi e cembalo *(Malipiero)*

Tomo 226° 6'

T.F. 30, cc 55r - 60v *Ms.*

F. XI n. 33 - Concerto in sol min. per archi e cembalo *(Malipiero)*

Tomo 287°   7'

T.G.   29, cc 98r - 107r   *Ms.*

F. XI n. 39 - Concerto in sol min. per archi e cembalo *(Malipiero)*

Tomo 310°   6'30"

T.G.   29, cc 279r - 282v   *Ms.*

F. XI n. 1 - Concerto in la magg. per archi e cembalo *(Ephrikian)*

Tomo 5°   6'

T.G.   30, cc 88r - 91r   *Ms.*

F. XI n. 4 - Concerto in la magg. per archi e cembalo *(Ephrikian)*

Tomo 8°   10'

T.F.   30, cc 42r - 49v   *Ms.*

F. XI n. 22 - Concerto in la magg. per archi e cembalo *(Malipiero)*
Tomo 184°　　　　　　　　　　　5'30"
T.G. 30, cc 92r - 99v　*Ms.*

F. XI n. 26 - Concerto in la min. per archi e cembalo *(Malipiero)*
Tomo 201°　　　　　　　　　　　4'30"
T.G. 29, cc 116r - 119v　*Ms.*

F. XI n. 3 - Concerto in si bem. magg. per archi e cembalo *(Malipiero)*
Tomo 7°　　　　　　　　　　　7'
T.G. 30, cc 168r - 171v　*Ms.*

F. XI n. 5 - Concerto in si bem. magg. per archi e cembalo *(Ephrikian)*
Tomo 9°　　　　　　　　　　　5'
T.G. 35, cc 251r - 254r　*Ms.*

F. XI n. 12 - Concerto in si bem. magg. per archi e cembalo *(Malipiero)*

Tomo 50° 4'

T.G. 30, cc 35r - 40r *Ms.*

F. XI n. 24 - Concerto in si bem. magg. per archi e cembalo *(Malipiero)*

Tomo 190° 5'

T.G. 30, cc 278r - 284r *Ms.*

F. XI n. 7 - Sinfonia in si min. per archi « Al S. Sepolcro » *(Fanna)*

Tomo 22° 6'

T.G. 34, cc 100r - 102r *Ms.*

F. XI n. 52 - Concerto in si min. per archi e cembalo *(Malipiero)*

Tomo 518° 6'

U. Instr. Mus. i hs. 61 : 6a. *Ms.*

CONCERTI PER COMPLESSI VARI CON ORCHESTRA

F. XII n. 1 - Concerto in do magg. per 2 oboi, 2 clarinetti, archi e cembalo *(Ephrikian)*

Tomo 3° 10'

T.G. 31, cc 72r - 87v *Ms.*

F. XII n. 2 - Concerto in do magg. per 2 oboi, 2 clarinetti, archi e cembalo *(Ephrikian)*

Tomo 10° 15'

T.G. 31, cc 90r - 103v *Ms.*

F. XII n. 14 - Concerto in do magg. per 2 flauti, 2 oboi, 2 clarinetti, fagotto, 2 violini, archi e cembalo « Per la Solennità di S. Lorenzo » *(Ephrikian)*

Tomo 54° 14'

T.G. 34, cc 2r - 20r *Ms.*

F. XII n. 17 - Concerto in do magg. per 2 flauti, 2 oboi, fagotto, 2 violini, archi e cembalo *(Malipiero)*

Tomo 90° 8'

T.F. 32, cc 255r - 267r *Ms.*

F. XII n. 23 - Concerto in do magg. per 2 flauti, oboe, corno inglese, 2 trombe, violino, 2 viole, archi e 2 cembali *(Malipiero)*
Tomo 142° 10'

T.G. 34, cc 115r - 132v *Ms.*

F. XII n. 34 - Concerto in do magg. per oboe, 2 violini, archi e cembalo oppure per oboe, violino, organo, archi e cembalo; oppure l'oboe può essere sostituito dal violoncello *(Malipiero)*
Tomo 250° 12'

T.F. 29, cc 255r - 276v *Ms.*

F. XII n. 37 - Concerto in do magg. per 2 flauti, 2 salmò, 2 mandolini, 2 tiorbe, 2 violini, violoncello, archi e cembalo *(Malipiero)*
Tomo 318° 10'

D. 2389/O/4(a) *Ms.*

F. XII n. 45 - Concerto in re magg. per 2 oboi, fagotto, archi e cembalo *(Malipiero)*
Tomo 362° 5'

D. 2389/N/2(2) *Ms.*

F. XII n. 47 - Concerto in re magg. per 2 oboi, 2 corni, violino, archi e 2 organi « Per la Solennità di S. Lorenzo »   *(Prato)*

Tomo 380°   16'

D. 2389/O/94   *Ms.*

F. XII n. 50 - Concerto in re magg. per 2 oboi, violino, archi e cembalo   *(Malipiero)*

Tomo 510°   8'

W.O.   E.M. 148 c.   *Ms.*

F. XII n. 19 - Concerto in re min. per violino, organo, archi e cembalo   *(Malipiero)*

Tomo 95°   8'

T.G.   28, cc 120r - 133r   *Ms.*

F. XII n. 31 - Concerto in re min. per 2 flauti, 2 oboi, fagotto, 2 violini, archi e cembalo

          (Malipiero)

Tomo 213°   10'

T.F.   32, cc 51r - 66v   *Ms.*

F. XII n. 38 - Concerto in re min. per viola d'amore, liuto, archi e cembalo *(Malipiero)*

Tomo 320°   9'

D. 2389/O/4(c)   *Ms.*

F. XII n. 22 - Concerto in mi min. per violoncello, fagotto, archi e cembalo   *(Malipiero)*

Tomo 137°   10'

T.F. 29, cc 126r - 133v   *Ms.*

F. XII n. 10 - Concerto in fa magg. per 2 oboi, fagotto, 2 corni, violino, archi e cembalo

(Ephrikian)

Tomo 43°   13'

T.G. 31, cc 104r - 132r   *Ms.*

F. XII n. 18 - Concerto in fa magg. per 2 oboi, fagotto, 2 corni, violino, archi e organo

(Malipiero)

Tomo 94°   11'

T.G. 31, cc 134r - 163r   *Ms.*

F. XII n. 28 - Concerto in fa magg. per flauto, oboe, fagotto, archi e cembalo « La Tempesta di mare »   *(Malipiero)*

Tomo 150°   8'

T.G.   31, cc 353r - 356v   *Ms.*

F. XII n. 35 - Concerto in fa magg. per oboe, violino, archi e cembalo   *(Malipiero)*

Tomo 265°   8'

T.F.   32, cc 233r - 238r   *Ms.*

F. XII n. 39 - Concerto in fa magg. per 2 oboi, fagotto, 2 corni, violino, archi e cembalo
                                                          (Malipiero)

Tomo 338°   10'30"

D.   2389/O/47   *Ms.*

F. XII n. 40 - Concerto in fa magg. per 2 oboi, fagotto, 2 corni, violino, archi e organo
                                                          (Malipiero)

Tomo 350°   10'

D.   2389/O/48   *Ms.*

F. XII n. 41 - Concerto in fa magg. per violino, organo e archi *(Malipiero)*
Tomo 353°   9'

D.   2389/O/97   *Ms.*

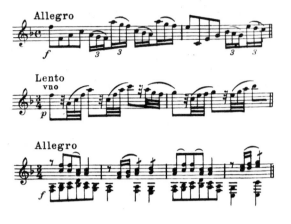

F. XII n. 46 - Concerto in fa magg. per 2 corni, fagotto, archi e cembalo *(Malipiero)*
Tomo 363°   6'

D.   2389/N/1(2)   *Ms.*

F. XII n. 36 - Concerto in sol magg. per oboe, fagotto, archi e cembalo *(Malipiero)*
Tomo 280°   11'

T.F.   32, cc 341r - 348v   *Ms.*

F. XII n. 49 - Concerto in sol magg. per flauto, archi e cembalo *(Malipiero)*
Tomo 360°   4'

D.   2389/N/2(5)   *Ms.*

F. XII n. 3 - Concerto in sol min. per 2 flauti, 2 oboi, 2 fagotti, violino, archi e cembalo « **Per l'Orchestra di Dresda** » *(Ephrikian)*
Tomo 25°   10'

T.F. 32, cc 239r - 254r   *Ms.*

F. XII n. 5 - Concerto in sol min. per flauto, fagotto, archi e cembalo oppure per violino, fagotto, archi e cembalo « **La Notte** » *(Ephrikian)*
Tomo 33°   12'

T.G. 31, cc 243r - 249r   *Ms.*

F. XII n. 33 - Concerto in sol min. per 2 flauti, 3 oboi, fagotto, violino, archi e cembalo
(Malipiero)
Tomo 249°   11'

T.F. 32, cc 67r - 86r   *Ms.*

F. XII n. 48 - Concerto in la magg. « in due cori » per 4 flauti, 4 violini, archi e 2 organi
(Prato)

Tomo 381° 11'

D. 2389/O/77 *Ms.*

F. XII n. 12 - Concerto in si bem. magg. per oboe, corno inglese, violino, 2 viole, violoncello, archi e cembalo « Funebre »
(Ephrikian)

Tomo 51° 12'

T.F. 32, cc 349r - 359v *Ms.*

F. XII n. 16 - Concerto in si bem. magg. per oboe, violino, archi e cembalo *(Malipiero)*
Tomo 73° 8'30"

T.G. 34, cc 133r - 140v *Ms.*

F. XII n. 44 - Concerto in si bem. magg. per 2 flauti, 2 oboi, fagotto, archi e cembalo
(Malipiero)

Tomo 359° 4'

D. 2389/N/3 *Ms.*

CONCERTI PER COMPLESSI VARI SENZA ORCHESTRA

F. XII n. 24 - Concerto in do magg. per flauto, oboe, violino, fagotto e basso continuo

(Malipiero)

Tomo 143°   10'

T.G.   31, cc 420r - 427r   *Ms.*

F. XII n. 30 - Concerto in do magg. per flauto, oboe, 2 violini e basso continuo   *(Malipiero)*

Tomo 155°   10'30"

T.G.   31, cc 404r - 411r   *Ms.*

F. XII n. 7 - Concerto in re magg. per flauto, violino e fagotto o violoncello   *(Malipiero)*

Tomo 39°   12'

T.G.   30, cc 41r - 46r   *Ms.*

F. XII n. 9. - Concerto in re magg. per flauto, oboe, violino, fagotto e basso continuo « Del Gardellino » *(Malipiero)*
Tomo 42°   11'

T.G.   31, cc 332r - 338v   *Ms.*

F. XII n. 15 - Concerto in re magg. per 2 violini, liuto e basso continuo   *(Malipiero)*
Tomo 62°   11'

T.G.   35, cc 297r - 301v   *Ms.*

F. XII n. 25 - Concerto in re magg. per flauto, oboe, violino, fagotto e basso continuo
                                                                        (Malipiero)
Tomo 144°   12'30"

T.G.   31, cc 412r - 419v   *Ms.*

F. XII n. 27 - Concerto in re magg. per flauto, violino, fagotto e basso continuo   *(Malipiero)*
Tomo 149°   9'

T.G.   31, cc 364r - 372v   *Ms.*

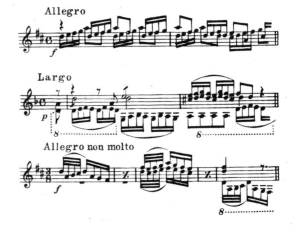

F. XII n. 29 - Concerto in re magg. per flauto, oboe, violino, fagotto e basso continuo oppure per 3 violini, fagotto e basso continuo

« La Pastorella »   *(Malipiero)*
Tomo 154°   13'

T.G.   31, cc 235r - 242v   *Ms.*

F. XII n. 43 - Concerto in re magg. per flauto, violino e basso continuo   *(Malipiero)*
Tomo 355°   8'

D.   2389/Q/8   *Ms.*

F. XII n. 42 - Concerto in re min. per flauto, violino, fagotto e basso continuo   *(Malipiero)*
Tomo 354°   10'

D.   2389/Q/10   *Ms.*

F. XII n. 21 - Concerto in fa magg. per flauto, violino, fagotto e basso continuo   *(Malipiero)*
Tomo 106°   9'

T.G.   31, cc 282r - 290v   *Ms.*

F. XII n. 26 - Concerto in fa magg. per flauto, oboe, violino, fagotto e basso continuo

(Malipiero)

Tomo 147°   9'

T.G.   31, cc 357r - 363r   *Ms.*

F. XII n. 32 - Concerto in fa magg. per 2 oboi, viola d'amore, fagotto, 2 corni e basso continuo

(Malipiero)

Tomo 248°   11'

T.F.   29, cc 277r - 291v   *Ms.*

F. XII n. 13 - Concerto in sol magg. per flauto, oboe, violino, fagotto e basso continuo

(Malipiero)

Tomo 52°   10'

T.G.   31, cc 308r - 313r   *Ms.*

F. XII n. 4 - Concerto in sol min. per flauto, oboe e fagotto

(Fanna)

Tomo 23°   11'

T.G.   31, cc 228r-234r   *Ms.*

F. XII n. 6 - Concerto in sol min. per flauto, oboe, violino, fagotto e basso continuo

(*Malipiero*)

Tomo 40°　　　　　　　　　　　9'

T.G. 31, cc 314r - 322r　*Ms.*

F. XII n. 8 - Concerto in sol min. per flauto, violino, fagotto e basso continuo oppure per 2 violini, violoncello e basso continuo

(*Malipiero*)

Tomo 41°　　　　　　　　　　　8'

T.G. 31, cc 324r - 331v　*Ms.*

F. XII n. 20 - Concerto in sol min. per flauto, oboe, violino, fagotto e basso continuo

(*Malipiero*)

Tomo 103°　　　　　　　　　　11'

T.G. 31, cc 302r - 307v　*Ms.*

F. XII n. 11 - Concerto in la min. per flauto, 2 violini e basso continuo (*Ephrikian*)

Tomo 44°　　　　　　　　　　　9'

T.G. 31, cc 220r - 226v　*Ms.*

F. XIII n. 8 - Sonata in do magg. per violino e basso continuo *(Malipiero)*

Tomo 366°   15'

D. 2389/R/7(3) *Ms.*

F. XIII n. 11 - Sonata in do magg. per violino e basso continuo *(Malipiero)*

Tomo 369°   15'

D. 2389/R/10(a) *Ms.*

F. XIII n. 34 - Sonata in do magg. per violino e basso continuo *(Prato)*

Tomo 399°   12'

Op. II n. 6 *Ed. Bortoli, Venezia*

F. XIII n. 10 - Sonata in do min. per violino e basso continuo *(Malipiero)*
Tomo 368°   13'
D. 2389/R/8(2) *Ms.*

F. XIII n. 14 - Sonata in do min. per violino e basso continuo *(Malipiero)*
Tomo 372°   14'
D. 2389/R/10(d) *Ms.*

F. XIII n. 35 - Sonata in do min. per violino e basso continuo *(Prato)*
Tomo 400°   8'
Op. II n. 7 *Ed. Bortoli, Venezia*

F. XIII n. 6 - Sonata in re magg. per violino e basso continuo *(Malipiero)*
Tomo 364° 9'

D. 2389/R/7(1) *Ms.*

F. XIII n. 39 - Sonata in re magg. per violino e basso continuo *(Malipiero)*
Tomo 404° 11'

Op. II n. 11 *Ed. Bortoli, Venezia*

F. XIII n. 7 - Sonata in re min. per violino e basso continuo *(Malipiero)*
Tomo 365° 13'

D. 2389/R/7(2) *Ms.*

F. XIII n. 9 - Sonata in re min. per violino e
basso continuo   *(Malipiero)*

Tomo 367°   11'

D. 2389/R/8(1) Ms.

F. XIII n. 31 - Sonata in re min. per violino
e basso continuo   *(Prato)*

Tomo 396°   12'

Op. II n. 3   *Ed. Bortoli, Venezia*

F. XIII n. 37 - Sonata in mi min. per violino
e basso continuo   *(Malipiero)*

Tomo 402°   13'

Op. II n. 9   *Ed. Bortoli, Venezia*

**F. XIII n. 32 - Sonata in fa magg. per violino
e basso continuo** *(Prato)*

Tomo 397°   16'

Op. II n. 4   *Ed. Bortoli, Venezia*

**F. XIII n. 41 - Sonata in fa magg. per violino
e basso continuo** *(Malipiero)*

Tomo 430°   9'

Op. V n. 13   *Ed. J. Roger, Amsterdam*

**F. XIII n. 47 - Sonata in fa magg. per violino
e basso continuo** *(Malipiero)*

Tomo 491°   17'

P.   Ms. 2225   *Ms.*

**F. XIII n. 38 - Sonata in fa min. per violino
e basso continuo** *(Malipiero)*
Tomo 403°   8'

Op. II n. 10   *Ed. Bortoli, Venezia*

Preludio

**F. XIII n. 13 - Sonata in sol magg. per violino
e basso continuo** *(Malipiero)*
Tomo 371°   14'

D.   2389/R/10(c)   *Ms.*

**F. XIII n. 36 - Sonata in sol magg. per violino
e basso continuo** *(Malipiero)*
Tomo 401°   9'

Op. II n. 8   *Ed. Bortoli, Venezia*

F. XIII n. 49 - Sonata in sol magg. per violino e basso continuo   *(Zobeley)*
Tomo 529°   9'

W.S. 780 *Ms.*

F. XIII n. 5 - Sonata in sol min. per violino
e basso continuo   *(Malipiero)*
Tomo 356°   11'

D. 2389/R/6(1) *Ms.*

F. XIII n. 15 - Sonata in sol min. per violino
e basso continuo   *(Malipiero)*
Tomo 373°   7'

D. 2389/R/11(1) *Ms.*

F. XIII n. 29 - Sonata in sol min. per violino e basso continuo *(Prato)*

Tomo 394°   12'

Op. II n. 1   *Ed. Bortoli, Venezia*

F. XIII n. 12 - Sonata in la magg. per violino e basso continuo *(Malipiero)*

Tomo 370°   8'

D.   2389/R/10(b) *Ms.*

F. XIII n. 30 - Sonata in la magg. per violino e basso continuo *(Prato)*

Tomo 395°   7'

Op. II n. 2   *Ed. Bortoli, Venezia*

F. XIII n. 42 - Sonata in la magg. per violino e basso continuo *(Malipiero)*
Tomo 431°   10'
Op. V n. 14   *Ed. J. Roger, Amsterdam*

F. XIII n. 40 - Sonata in la min. per violino e basso continuo *(Malipiero)*
Tomo 405°   10'
Op. II n. 12   *Ed. Bortoli, Venezia*

F. XIII n. 16 - Sonata in si bem. magg. per violino e basso continuo *(Malipiero)*
Tomo 374°   6'
D.   2389/R/11(2)   *Ms.*

146

F. XIII n. 43 - Sonata in si bem. magg. per violino e basso continuo *(Malipiero)*
Tomo 432°   10'

Op. V n. 15   *Ed. J. Roger, Amsterdam*

F. XIII n. 33 - Sonata in si min. per violino e basso continuo *(Prato)*
Tomo 398°   8'

Op. II n. 5   *Ed. Bortoli, Venezia*

F. XIII n. 44 - Sonata in si min. per violino e basso continuo *(Malipiero)*
Tomo 433°   12'

Op. V n. 16   *Ed. J. Roger, Amsterdam*

SONATE PER 2 VIOLINI

F. XIII n. 19 - Sonata in do magg. per 2 violini e violoncello o cembalo *(Prato)*

Tomo 384° 7'

Op. I n. 3 *Ed. E. Roger, Amsterdam*

F. XIII n. 48 - Sonata in do magg. per 2 violini e basso continuo *(Zobeley)*

Tomo 528° 11'

W.S. 779 Ms.

F. XIII n. 22 - Sonata in re magg. per 2 violini e violoncello o cembalo *(Prato)*

Tomo 387° 8'

Op. I n. 6 *Ed. E. Roger, Amsterdam*

148

F. XIII n. 24 - Sonata in re min. per 2 violini
e violoncello o cembalo   *(Prato)*
Tomo 389°   12'

Op. I n. 8   *Ed. E. Roger, Amsterdam*

Preludio

Corrente

Grave

Giga

F. XIII n. 28 - Sonata in re min. per 2 violini
e violoncello o cembalo « La Follia »   *(Prato)*
Tomo 393°   11'

Op. I n. 12   *Ed. E. Roger, Amsterdam*

Adagio

★) Tema con 19 variazioni

F. XIII n. 23 - Sonata in mi bem. magg. per
2 violini e violoncello o cembalo   *(Prato)*
Tomo 388°   9'

Op. I n. 7   *Ed. E. Roger, Amsterdam*

Preludio

Allemanda

Sarabanda

Giga

**F. XIII n. 20 - Sonata in mi magg. per 2 vio-
lini e violoncello o cembalo**   *(Prato)*

Tomo 385°   10'

Op. I n. 4   *Ed. E. Roger, Amsterdam*

Allemanda

Sarabanda

Giga

**F. XIII n. 18 - Sonata in mi min. per 2 violini
e violoncello o cembalo**   *(Prato)*

Tomo 383°   8'

Op. I n. 2   *Ed. E. Roger, Amsterdam*

Corrente

Giga

Gavotta

F. XIII n. 3 - Sonata in fa magg. per 2 violini e basso continuo oppure per 2 violini senza basso continuo *(Malipiero)*
Tomo 57°   9'

T.G.   28, cc 67r - 71r   *Ms.*

F. XIII n. 4 - Sonata in fa magg. per 2 violini e basso continuo oppure per 2 violini senza basso continuo *(Malipiero)*
Tomo 58°   10'

T.G.   28, cc 56r - 60r   *Ms.*

F. XIII n. 21 - Sonata in fa magg. per 2 violini e violoncello o cembalo *(Prato)*
Tomo 386°   6'

Op. I n. 5   *Ed. E. Roger, Amsterdam*

F. XIII n. 1 - Sonata in sol magg. per 2 violini e basso continuo oppure per 2 violini senza basso continuo *(Olivieri)*
Tomo 17°   12'

T.G. 28, cc 62r - 66r *Ms.*

F. XIII n. 17 - Sonata in sol min. per 2 violini e violoncello o cembalo *(Prato)*
Tomo 382°   8'

Op. I n. 1 *Ed. E. Roger, Amsterdam*

F. XIII n. 46 - Sonata in sol min. per 2 violini e basso continuo *(Malipiero)*
Tomo 435°   8'

Op. V n. 18 *Ed. J. Roger, Amsterdam*

F. XIII n. 25 - Sonata in la magg. per 2 violini e violoncello o cembalo *(Prato)*
Tomo 390° 8'

Op. I n. 9 *Ed. E. Roger, Amsterdam*

F. XIII n. 2 - Sonata in si bem. magg. per 2 violini e basso continuo oppure per 2 violini senza basso continuo *(Malipiero)*
Tomo 24° 10'

T.G. 28, cc 73r - 77v *Ms.*

F. XIII n. 26 - Sonata in si bem. magg. per 2 violini e violoncello o cembalo *(Prato)*
Tomo 391° 8'

Op. I n. 10 *Ed. E. Roger, Amsterdam*

F. XIII n. 45 - Sonata in si bem. magg. per 2 violini e basso continuo *(Malipiero)*
Tomo 434°   11'
Op. V n. 17   *Ed. J. Roger, Amsterdam*

F. XIII n. 27 - Sonata in si min. per 2 violini e violoncello o cembalo *(Prato)*
Tomo 392°   10'
Op. I n. 11   *Ed. E. Roger, Amsterdam*

Preludio
Andante

Allemanda
Allegro

Corrente
Allegro

Preludio
Andante

Corrente
Allegro

Giga
Allegro

Gavotta
Presto

SONATE PER VIOLONCELLO

F. XIV n. 8 - Sonata in mi bem. magg. per violoncello e basso continuo   *(Malipiero)*
Tomo 504°   13'

N.   M.S. 11188 - 11190(c)   *Ms.*

F. XIV n. 5 - Sonata in mi min. per violoncello e basso continuo   *(Malipiero)*
Tomo 477°   12'

Op. XIV (?) n. 5   *Ed. Le Clerc et Boivin, Paris*

F. XIV n. 2 - Sonata in fa magg. per violoncello e basso continuo   *(Malipiero)*
Tomo 474°   14'

Op. XIV (?) n. 2   *Ed. Le Clerc et Boivin, Paris*

F. XIV n. 9 - Sonata in sol min. per violoncello e basso continuo *(Zobeley)*

Tomo 530° 12'

W.S. 783 *Ms.*

Preludio
Largo

Allemanda
Andante

Sarabanda
Largo

Giga
Allegro

F. XIV n. 3 - Sonata in la min. per violoncello e basso continuo *(Malipiero)*

Tomo 475° 17'

Op. XIV (?) n. 3 *Ed. Le Clerc et Boivin, Paris*

Largo

Allegro

Largo

Allegro

F. XIV n. 7 - Sonata in la min. per violoncello e basso continuo *(Malipiero)*

Tomo 503° 13'

N. M.S. 11188 - 11190(b) *Ms.*

Largo

Allegro poco

Largo

Allegro

F. XIV n. 1 - Sonata in si bem. magg. per violoncello e basso continuo *(Malipiero)*

Tomo 473° 13'30"

Op. XIV (?) n. 1 *Ed. Le Clerc et Boivin, Paris*

F. XIV n. 4 - Sonata in si bem. magg. per violoncello e basso continuo *(Malipiero)*

Tomo 476° 16'

Op. XIV (?) n. 4 *Ed. Le Clerc et Boivin, Paris*

F. XIV n. 6 - Sonata in si bem. magg. per violoncello e basso continuo *(Malipiero)*

Tomo 478° 16'

Op. XIV (?) n. 6 *Ed. Le Clerc et Boivin, Paris*

F. XV n. 3 - Sonata in do magg. per flauto e basso continuo *(Malipiero)*

Tomo 490° 12'

C.U. Add. 7059 (D) *Ms.*

F. XV n. 2 - Sonata in do min. per oboe e basso continuo *(Malipiero)*

Tomo 375° 15'

D. 2389/S/1 *Ms.*

F. XV n. 5 - Sonata in re min. per flauto e basso continuo *(Malipiero)*

Tomo 517° 14'

U. Instr. Mus. i hs. 79 : 3. *Ms.*

F. XV n. 4 - Sonata in fa magg. per flauto e basso continuo *(Malipiero)*
Tomo 501°   8'
V. Cl. VIII Cod. 27, cc 9r - 10v   *Ms.*

Andante

Allemanda
Andante

Aria di Giga
Allegro

F. XV n. 1 - Sonata in la min. per flauto, fagotto e basso continuo *(Malipiero)*
Tomo 18°   12'
T.G.   31, cc 340r - 346v   *Ms.*

Largo

Allegro

Largo cantabile

Allegro molto

SONATE PER COMPLESSI VARI

F. XVI n. 3 - Trio in do magg. per violino, liuto e basso continuo   *(Malipiero)*

Tomo 63°   9'30"

T.F.   40, cc 6r - 9r   *Ms.*

F. XVI n. 5 - Sonata in do magg. per musetta, o viella, o flauto, o oboe, o violino e basso continuo   *(Malipiero)*

Tomo 467°   16'30"

Op. XIII n. 1   *Ed. Boivin, Paris*

F. XVI n. 6 - Sonata in do magg. per musetta, o viella, o flauto, o oboe, o violino e basso continuo *(Malipiero)*

Tomo 468°　　　　　　　　13'

Op. XIII n. 2　*Ed. Boivin, Paris*

F. XVI n. 9 - Sonata in do magg. per musetta, o viella, o flauto, o oboe, o violino e basso continuo *(Malipiero)*

Tomo 471°　　　　　　　　14'

Op. XIII n. 5　*Ed. Boivin, Paris*

F. XVI n. 1 - Sonata in do min. per violino, violoncello e basso continuo *(Olivieri)*

Tomo 20° 9'

T.F. 29, cc 83r - 86v *Ms.*

F. XVI n. 2 - Sonata a 4 in mi. bem. magg. per 2 violini, viola e basso continuo « Al Santo Sepolcro » *(Ephrikian)*

Tomo 21° 5'

T.G. 34, cc 96r - 98v *Ms.*

F. XVI n. 7 - Sonata in sol magg. per musetta, o viella, o flauto, o oboe, o violino e basso continuo *(Malipiero)*

Tomo 469° 14'

Op. XIII n. 3 *Ed. Boivin, Paris*

F. XVI n. 4 - Trio in sol min. per violino, liuto e basso continuo *(Malipiero)*

Tomo 75°   8'

T.F.   40, cc 2r - 4v   Ms.

F. XVI n. 10 - Sonata in sol min. per musetta, o viella, o flauto, o oboe, o violino e basso continuo *(Malipiero)*

Tomo 472°   9'

Op. XIII n. 6   *Ed. Boivin, Paris*

F. XVI n. 8 - Sonata in la magg. per musetta, o viella, o flauto, o oboe, o violino, violoncello e basso continuo *(Malipiero)*

Tomo 470°   10'30"

Op. XIII n. 4   *Ed. Boivin, Paris*

APPENDICE I   APPENDICE I   APPENDIX I   ANHANG I

Opere strumentali elencate secondo il numero progressivo della catalogazione Fanna. Di fianco ad ogni numero di catalogo è indicata la pagina ove trovansi gli *incipit* dell'Opera relativa.

Oeuvres instrumentales classées suivant le numérotage du catalogue Fanna. A côté de chaque numéro de catalogue est indiquée la page où se trouvent les incipit *de l'Oeuvre correspondante.*

Contains instrumental works listed according to the progressive number of the Fanna catalogue. The page containing the *Incipit* of the work follows each number.

Verzeichnis der nach der Katalogisierung Fanna fortlaufend numerierten Instrumentalwerke. Bei jeder Katalognummer ist auch die Seite angegeben, wo sich die betreffenden Incipit *befinden.*

F. I n. 1	pag. 61	F. I n. 36	pag. 51	F. I n. 71	pag. 44	F. I n. 106	pag. 57
F. I n. 2	pag. 23	F. I n. 37	pag. 41	F. I n. 72	pag. 40	F. I n. 107	pag. 49
F. I n. 3	pag. 17	F. I n. 38	pag. 67	F. I n. 73	pag. 19	F. I n. 108	pag. 52
F. I n. 4	pag. 39	F. I n. 39	pag. 55	F. I n. 74	pag. 42	F. I n. 109	pag. 37
F. I n. 5	pag. 55	F. I n. 40	pag. 75	F. I n. 75	pag. 36	F. I n. 110	pag. 49
F. I n. 6	pag. 73	F. I n. 41	pag. 72	F. I n. 76	pag. 63	F. I n. 111	pag. 19
F. I n. 7	pag. 39	F. I n. 42	pag. 75	F. I n. 77	pag. 68	F. I n. 112	pag. 52
F. I n. 8	pag. 24	F. I n. 43	pag. 70	F. I n. 78	pag. 63	F. I n. 113	pag. 33
F. I n. 9	pag. 36	F. I n. 44	pag. 70	F. I n. 79	pag. 23	F. I n. 114	pag. 20
F. I n. 10	pag. 24	F. I n. 45	pag. 25	F. I n. 80	pag. 26	F. I n. 115	pag. 68
F. I n. 11	pag. 32	F. I n. 46	pag. 18	F. I n. 81	pag. 52	F. I n. 116	pag. 27
F. I n. 12	pag. 71	F. I n. 47	pag. 18	F. I n. 82	pag. 52	F. I n. 117	pag. 64
F. I n. 13	pag. 17	F. I n. 48	pag. 40	F. I n. 83	pag. 68	F. I n. 118	pag. 64
F. I n. 14	pag. 71	F. I n. 49	pag. 47	F. I n. 84	pag. 40	F. I n. 119	pag. 34
F. I n. 15	pag. 61	F. I n. 50	pag. 67	F. I n. 85	pag. 70	F. I n. 120	pag. 27
F. I n. 16	pag. 51	F. I n. 51	pag. 56	F. I n. 86	pag. 63	F. I n. 121	pag. 64
F. I n. 17	pag. 43	F. I n. 52	pag. 51	F. I n. 87	pag. 48	F. I n. 122	pag. 53
F. I n. 18	pag. 25	F. I n. 53	pag. 59	F. I n. 88	pag. 45	F. I n. 123	pag. 57
F. I n. 19	pag. 25	F. I n. 54	pag. 56	F. I n. 89	pag. 26	F. I n. 124	pag. 27
F. I n. 20	pag. 43	F. I n. 55	pag. 62	F. I n. 90	pag. 56	F. I n. 125	pag. 53
F. I n. 21	pag. 33	F. I n. 56	pag. 33	F. I n. 91	pag. 48	F. I n. 126	pag. 34
F. I n. 22	pag. 39	F. I n. 57	pag. 75	F. I n. 92	pag. 37	F. I n. 127	pag. 40
F. I n. 23	pag. 51	F. I n. 58	pag. 23	F. I n. 93	pag. 19	F. I n. 128	pag. 45
F. I n. 24	pag. 44	F. I n. 59	pag. 76	F. I n. 94	pag. 19	F. I n. 129	pag. 27
F. I n. 25	pag. 47	F. I n. 60	pag. 62	F. I n. 95	pag. 63	F. I n. 130	pag. 45
F. I n. 26	pag. 36	F. I n. 61	pag. 74	F. I n. 96	pag. 48	F. I n. 131	pag. 37
F. I n. 27	pag. 17	F. I n. 62	pag. 26	F. I n. 97	pag. 26	F. I n. 132	pag. 28
F. I n. 28	pag. 33	F. I n. 63	pag. 76	F. I n. 98	pag. 73	F. I n. 133	pag. 28
F. I n. 29	pag. 61	F. I n. 64	pag. 47	F. I n. 99	pag. 76	F. I n. 134	pag. 28
F. I n. 30	pag. 25	F. I n. 65	pag. 62	F. I n. 100	pag. 72	F. I n. 135	pag. 20
F. I n. 31	pag. 17	F. I n. 66	pag. 44	F. I n. 101	pag. 72	F. I n. 136	pag. 28
F. I n. 32	pag. 61	F. I n. 67	pag. 18	F. I n. 102	pag. 37	F. I n. 137	pag. 57
F. I n. 33	pag. 44	F. I n. 68	pag. 18	F. I n. 103	pag. 48	F. I n. 138	pag. 29
F. I n. 34	pag. 73	F. I n. 69	pag. 62	F. I n. 104	pag. 56	F. I n. 139	pag. 74
F. I n. 35	pag. 71	F. I n. 70	pag. 41	F. I n. 105	pag. 23	F. I n. 140	pag. 20

APPENDICE II APPENDICE II APPENDIX II ANHANG II

Opere strumentali elencate secondo il numero progressivo di Tomo dell'Edizione Istituto Italiano Antonio Vivaldi - Ricordi. Di fianco a ogni numero di Tomo sono indicati il numero del Catalogo generale delle Edizioni Ricordi e la pagina ove trovansi gli *incipit* dell'Opera relativa (P.R. = Partiture Ricordi).

Oeuvres instrumentales cataloguées selon le numérotage des Tomes de l'édition de l'Institut Italien Antonio Vivaldi-Ricordi. A côté de chaque numéro de Tome sont indiqués le numéro du Catalogue général des Editions Ricordi et la page où se trouvent les incipit de l'Oeuvre correspondante (P. R. = Partitions Ricordi).

Contains the instrumental works listed according to the progressive volume number of the Istituto Italiano Antonio Vivaldi-Ricordi Edition. Next to each number we have indicated the number of the General Catalogue of the Ricordi Editions and the page containing the work's *Incipit* (P. R. = Partiture Ricordi, Ricordi Scores).

Verzeichnis der Instrumentalwerke, geordnet nach den einzelnen Bänden der Ausgabe des Istituto Italiano Antonio Vivaldi-Ricordi. Bei jeder einzelnen Nummer des betreffenden Bandes ist auch die Nummer des General-Katalogs Ricordi sowie die Incipit des betreffenden Werkes angegeben (P. R. = Partituren Ricordi).

Tomo 1	P.R. 229	pag. 61	Tomo 30	P.R. 279	pag. 114	Tomo 59	P.R. 346	pag. 117
Tomo 2	P.R. 230	pag. 97	Tomo 31	P.R. 289	pag. 24	Tomo 60	P.R. 347	pag. 71
Tomo 3	P.R. 231	pag. 125	Tomo 32	P.R. 290	pag. 114	Tomo 61	P.R. 348	pag. 83
Tomo 4	P.R. 233	pag. 23	Tomo 33	P.R. 291	pag. 131	Tomo 62	P.R. 349	pag. 134
Tomo 5	P.R. 234	pag. 122	Tomo 34	P.R. 292	pag. 100	Tomo 63	P.R. 350	pag. 160
Tomo 6	P.R. 238	pag. 117	Tomo 35	P.R. 293	pag. 88	Tomo 64	P.R. 351	pag. 61
Tomo 7	P.R. 239	pag. 123	Tomo 36	P.R. 294	pag. 115	Tomo 65	P.R. 352	pag. 51
Tomo 8	P.R. 243	pag. 122	Tomo 37	P.R. 295	pag. 24	Tomo 66	P.R. 353	pag. 43
Tomo 9	P.R. 244	pag. 123	Tomo 38	P.R. 296	pag. 36	Tomo 67	P.R. 354	pag. 103
Tomo 10	P.R. 246	pag. 125	Tomo 39	P.R. 297	pag. 133	Tomo 68	P.R. 355	pag. 25
Tomo 11	P.R. 247	pag. 121	Tomo 40	P.R. 305	pag. 137	Tomo 69	P.R. 356	pag. 25
Tomo 12	P.R. 248	pag. 108	Tomo 41	P.R. 306	pag. 137	Tomo 70	P.R. 357	pag. 43
Tomo 13	P.R. 249	pag. 17	Tomo 42	P.R. 307	pag. 134	Tomo 71	P.R. 358	pag. 104
Tomo 14	P.R. 262	pag. 97	Tomo 43	P.R. 308	pag. 128	Tomo 72	P.R. 359	pag. 107
Tomo 15	P.R. 260	pag. 39	Tomo 44	P.R. 309	pag. 137	Tomo 73	P.R. 360	pag. 132
Tomo 16	P.R. 261	pag. 55	Tomo 45	P.R. 310	pag. 32	Tomo 74	P.R. 361	pag. 33
Tomo 17	P.R. 273	pag. 152	Tomo 46	P.R. 311	pag. 91	Tomo 75	P.R. 362	pag. 163
Tomo 18	P.R. 270	pag. 159	Tomo 47	P.R. 314	pag. 100	Tomo 76	P.R. 434	pag. 39
Tomo 19	P.R. 264	pag. 80	Tomo 48	P.R. 315	pag. 71	Tomo 77	P.R. 435	pag. 51
Tomo 20	P.R. 269	pag. 162	Tomo 49	P.R. 319	pag. 119	Tomo 78	P.R. 436	pag. 44
Tomo 21	P.R. 267	pag. 162	Tomo 50	P.R. 320	pag. 124	Tomo 79	P.R. 437	pag. 47
Tomo 22	P.R. 266	pag. 124	Tomo 51	P.R. 338	pag. 132	Tomo 80	P.R. 442	pag. 36
Tomo 23	P.R. 265	pag. 136	Tomo 52	P.R. 339	pag. 136	Tomo 81	P.R. 443	pag. 17
Tomo 24	P.R. 268	pag. 153	Tomo 53	P.R. 340	pag. 86	Tomo 82	P.R. 444	pag. 33
Tomo 25	P.R. 263	pag. 131	Tomo 54	P.R. 341	pag. 125	Tomo 83	P.R. 445	pag. 61
Tomo 26	P.R. 275	pag. 87	Tomo 55	P.R. 342	pag. 17	Tomo 84	P.R. 446	pag. 25
Tomo 27	P.R. 276	pag. 73	Tomo 56	P.R. 343	pag. 117	Tomo 85	P.R. 447	pag. 17
Tomo 28	P.R. 277	pag. 107	Tomo 57	P.R. 344	pag. 151	Tomo 86	P.R. 448	pag. 61
Tomo 29	P.R. 278	pag. 39	Tomo 58	P.R. 345	pag. 151	Tomo 87	P.R. 449	pag. 44

Opere strumentali elencate secondo l'ordine col quale — vivente Vivaldi — furono raccolte, contrassegnate col numero di Opera dall'1 al 14 e pubblicate. Di fianco ad ogni Opera è indicata la catalogazione Fanna.

Oeuvres instrumentales cataloguées suivant l'ordre où elles ont été recueillies et publiées du vivant de Vivaldi, et portant les numéros d'Opus de 1 à 14. A côté de chaque Oeuvre est indiqué le numéro du catalogue Fanna.

Contains instrumental works listed according to the order in which they were marked and published in Vivaldi's lifetime, accompanied by their opus number from 1 to 14. The number given to these works in the Fanna Catalogue appears next to the original indication.

Verzeichnis der Instrumentalwerke in der Reihenfolge ihrer Veröffentlichung zu Vivaldis Lebzeiten. Die Werke tragen die Nummern Op. 1 bis Op. 14. Bei jedem Werk ist auch die Katalogisierung Fanna angegeben.

OPERA I	n. 1 F. XIII n. 17	n. 5 F. XIII n. 21	n. 9 F. XIII n. 25
	n. 2 F. XIII n. 18	n. 6 F. XIII n. 22	n. 10 F. XIII n. 26
	n. 3 F. XIII n. 19	n. 7 F. XIII n. 23	n. 11 F. XIII n. 27
	n. 4 F. XIII n. 20	n. 8 F. XIII n. 24	n. 12 F. XIII n. 28
OPERA II	n. 1 F. XIII n. 29	n. 5 F. XIII n. 33	n. 9 F. XIII n. 37
	n. 2 F. XIII n. 30	n. 6 F. XIII n. 34	n. 10 F. XIII n. 38
	n. 3 F. XIII n. 31	n. 7 F. XIII n. 35	n. 11 F. XIII n. 39
	n. 4 F. XIII n. 32	n. 8 F. XIII n. 36	n. 12 F. XIII n. 40
OPERA III *L'Estro Armonico* (Ed. Roger e Le Cene, Amsterdam)	n. 1 F. IV n. 7	n. 5 F. I n. 175	n. 9 F. I n. 178
	n. 2 F. IV n. 8	n. 6 F. I n. 176	n. 10 F. IV n. 10
	n. 3 F. I n. 173	n. 7 F. IV n. 9	n. 11 F. IV n. 11
	n. 4 F. I n. 174	n. 8 F. I n. 177	n. 12 F. I n. 179
OPERA III (Ed. Walsh and Hare, London)	n. 1 F. IV n. 7	n. 5 F. I n. 175	n. 9 F. IV n. 9
	n. 2 F. IV n. 8	n. 6 F. I n. 177	n. 10 F. IV n. 10
	n. 3 F. I n. 173	n. 7 F. I n. 178	n. 11 F. IV n. 11
	n. 4 F. I n. 174	n. 8 F. I n. 176	n. 12 F. I n. 179
OPERA IV *La Stravaganza* (Ed. E. Roger, Amsterdam)	n. 1 F. I n. 180	n. 5 F. I n. 184	n. 9 F. I n. 188
	n. 2 F. I n. 181	n. 6 F. I n. 185	n. 10 F. I n. 189
	n. 3 F. I n. 182	n. 7 F. I n. 186	n. 11 F. I n. 190
	n. 4 F. I n. 183	n. 8 F. I n. 187	n. 12 F. I n. 191
OPERA IV *La Stravaganza* (Ed. Walsh, London)	n. 1 F. I n. 180	n. 4 F. I n. 188	
	n. 2 F. I n. 181	n. 5 F. I n. 190	
	n. 3 F. I n. 183	n. 6 F. I n. 215	

OPERA V O vero Parte Seconda del Opera Seconda	n. 13 F. XIII n. 41 n. 14 F. XIII n. 42 n. 15 F. XIII n. 43	n. 16 F. XIII n. 44 n. 17 F. XIII n. 45 n. 18 F. XIII n. 46	

OPERA VI	n. 1 F. I n. 192 n. 2 F. I n. 193	n. 3 F. I n. 194 n. 4 F. I n. 195	n. 5 F. I n. 196 n. 6 F. I n. 197

OPERA VII	*Libro I* n. 1 F. VII n. 14 n. 2 F. I n. 198 n. 3 F. I n. 199 n. 4 F. I n. 200 n. 5 F. I n. 201 n. 6 F. I n. 202	*Libro II* n. 1 F. VII n. 15 n. 2 F. I n. 203 n. 3 F. I n. 204 n. 4 F. I n. 205 n. 5 F. I n. 206 n. 6 F. I n. 207

OPERA VIII *Il Cimento dell'Armo-* *nia e dell'Inventione*	n. 1 F. I n. 22 n. 2 F. I n. 23 n. 3 F. I n. 24 n. 4 F. I n. 25	n. 5 F. I n. 26 n. 6 F. I n. 27 n. 7 F. I n. 28 n. 8 F. I n. 16	n. 9 F. VII n. 1 n. 10 F. I n. 29 n. 11 F. I n. 30 n. 12 F. I n. 31

OPERA IX *La Cetra*	n. 1 F. I n. 47 n. 2 F. I n. 51 n. 3 F. I n. 52 n. 4 F. I n. 48	n. 5 F. I n. 53 n. 6 F. I n. 54 n. 7 F. I n. 55 n. 8 F. I n. 56	n. 9 F. I n. 57 n. 10 F. I n. 49 n. 11 F. I n. 58 n. 12 F. I n. 50

OPERA X	n. 1 F. VI n. 12 n. 2 F. VI n. 13	n. 3 F. VI n. 14 n. 4 F. VI n. 15	n. 5 F. VI n. 1 n. 6 F. VI n. 16

OPERA XI	n. 1 F. I n. 89
	n. 2 F. I n. 208
	n. 3 F. I n. 90
	n. 4 F. I n. 209
		n. 5 F. I n. 210
		n. 6 (eguale all'Opera
		      IX n.3, ma qui
		      per oboe)

OPERA XII	n. 1 F. I n. 211 n. 2 F. I n. 212	n. 3 F. XI n. 42 n. 4 F. I n. 213	n. 5 F. I n. 86 n. 6 F. I n. 214

OPERA XIII *Il Pastor fido*	n. 1 F. XVI n. 5 n. 2 F. XVI n. 6	n. 3 F. XVI n. 7 n. 4 F. XVI n. 8	n. 5 F. XVI n. 9 n. 6 F. XVI n. 10

OPERA XIV (?)	n. 1 F. XIV n. 1 n. 2 F. XIV n. 2	n. 3 F. XIV n. 3 n. 4 F. XIV n. 4	n. 5 F. XIV n. 5 n. 6 F. XIV n. 6

APPENDICE IV   APPENDICE IV   APPENDIX IV   ANHANG IV

Sinfonie e Concerti elencati secondo l'ordine seguito nell'Indice Tematico Pincherle. Per ogni Opera strumentale è indicata, di fianco, la catalogazione Fanna. (P. = Pincherle, F. = Fanna).

Sinfonie *et* Concerti *classés suivant l'ordre de l'Inventaire thématique Pincherle. Chaque oeuvre instrumentale porte, à côté, le numéro du catalogue Fanna (P. = Pincherle, F. = Fanna).*

Contains *Sinfonie* and *Concerti* listed according to the Pincherle Thematic Catalogue, followed by the Fanna Catalogue number. (P. = Pincherle, F. = Fanna).

Verzeichnis der Sinfonie und Concerti nach der Reihenfolge des thematischen Verzeichnisses von Pincherle. Bei jedem Instrumentalwerk ist auch die Katalogisierung Fanna angegeben. (P. = Pincherle, F. = Fanna).

SINFONIE

P. 1 = F. XI n. 45	P. 9 Sinfonia dell' Incoronazione di Dario	P. 14 Incompleta	P. 19 = F. XI n. 18
P. 2 = F. XI n. 46		P. 15 Sinfonia del Giustino	P. 20 = F. I n. 68
P. 3 = F. XI n. 40			P. 21 = F. XI n. 7
P. 4 = F. XI n. 29	P. 10 Sinfonia dell'Arsilda	P. 16 Sinfonia del Teuzzone	P. 22 = F. XI n. 52
P. 5 = F. XII n. 46			P. 23 = F. XI n. 47
P. 6 Incompleta	P. 11 = F. XII n. 44	P. 17 = F. XI n. 51	
P. 7 = F. XII n. 45	P. 12 = F. XII n. 49	P. 18 Sinfonia dell'Armida	
P. 8 = F. XI n. 41	P. 13 = F. XI n. 50		

CONCERTI

P. 1 = F. I n. 176	P. 21 = F. I n. 67	P. 41 = F. VII n. 6	P. 59 = F. I n. 46
P. 2 = F. I n. 177	P. 22 = F. I n. 146	P. 42 = F. VII n. 5	P. 60 = F. XI n. 26
P. 3 = F. I n. 183	P. 23 = F. I n. 43	P. 43 = F. VII n. 7 - F. VIII n. 33	P. 61 = F. XI n. 25
P. 4 = F. I n. 186	P. 24 = F. III n. 4		P. 62 = F. I n. 135
P. 5 = F. I n. 198	P. 25 Solo *incipit*	P. 44 = F. VII n. 4	P. 63 = F. XI n. 38
P. 6 = F. I n. 200	P. 26 = F. I n. 226	P. 45 = F. VIII n. 17	P. 64 = F. XI n. 37
P. 7 = F. I n. 27	P. 27 = F. XI n. 44	P. 46 = F. VIII n. 13	P. 65 = F. I n. 85
P. 8 = F. I n. 31	P. 28 = F. I n. 61	P. 47 = F. VIII n. 12	P. 66 = F. I n. 93
P. 9 = F. I n. 47	P. 29 = F. I n. 169	P. 48 = F. VIII n. 18	P. 67 = F. XI n. 23
P. 10 = F. I n. 53	P. 30 = F. III n. 3	P. 49 = F. VIII n. 16	P. 68 = F. I n. 94
P. 11 = F. I n. 213	P. 31 = F. III n. 8	P. 50 = F. VIII n. 34 - F. VII n. 11	P. 69 = F. VIII n. 4
P. 12 = F. I n. 217	P. 32 = F. III n. 10		P. 70 = F. VIII n. 2
P. 13 Dubbio	P. 33 = F. III n. 6	P. 51 = F. VIII n. 28	P. 71 = F. VIII n. 3
P. 14 = F. I n. 13	P. 34 = F. III n. 13	P. 52 = F. VIII n. 26	P. 72 = F. VIII n. 7
P. 15 Solo *incipit*	P. 35 = F. III n. 18	P. 53 = F. VII n. 8	P. 73 = F. XII n. 1
P. 16 = F. XII n. 37	P. 36 = F. XII n. 34	P. 54 = F. XII n. 17	P. 74 = F. XII n. 2
P. 17 = F. I n. 44	P. 37 = F. II n. 6	P. 55 Incompleto	P. 75 = F. IX n. 1
P. 18 = F. I n. 157	P. 38 = F. I n. 111	P. 56 = F. VIII n. 21	P. 76 = F. VI n. 2
P. 19 = F. I n. 140	P. 39 = F. I n. 114	P. 57 = F. VIII n. 31	P. 77 = F. XII n. 11
P. 20 = F. I n. 172	P. 40 = F. I n. 73	P. 58 = F. IV n. 3	P. 78 = F. VI n. 5

P. 79 = F. VI n. 4
P. 80 = F. VI n. 7
P. 81 = F. XII n. 30
P. 82 = F. XII n. 24
P. 83 = F. VI n. 9
P. 84 = F. XII n. 14
P. 85 = F. VII n. 3
P. 86 = F. XI n. 10
P. 87 = F. XII n. 23
P. 88 = F. I n. 3
P. 89 = F. VIII n. 10 - F. VII n. 13
P. 90 = F. VIII n. 9
P. 91 = F. VII n. 17
P. 92 = F. I n. 236
P. 93 = F. I n. 232
P. 94 = F. XI n. 48
P. 95 Sinfonia del Giustino
P. 96 = F. I n. 173
P. 97 = F. I n. 174
P. 98 = F. I n. 181
P. 99 = F. I n. 182
P. 100 = F. I n. 191
P. 101 = F. I n. 196
P. 102 = F. I n. 203
P. 103 = F. I n. 49
P. 104 = F. VI n. 15
P. 105 = F. XII n. 13 - F. VI n. 16
P. 106 = F. I n. 208
P. 107 = F. I n. 209
P. 108 = F. I n. 216
P. 109 = F. I n. 220
P. 110 Solo *incipit*
P. 111 = F. I n. 91
P. 112 = F. I n. 168
P. 113 = F. XI n. 43
P. 114 = F. XI n. 36
P. 115 Dubbio
P. 116 Concerto di Johann Ernst von Sachsen - Weimar
P. 117 = F. I n. 96
P. 118 = F. VI n. 6 - F. III n. 19
P. 119 = F. XII n. 22
P. 120 = F. III n. 12

P. 121 = F. I n. 103
P. 122 = F. I n. 107
P. 123 = F. XI n. 32
P. 124 = F. I n. 110
P. 125 = F. I n. 70
P. 126 = F. I n. 74
P. 127 = F. XI n. 13
P. 128 = F. VIII n. 29
P. 129 = F. XII n. 36
P. 130 = F. VIII n. 37
P. 131 = F. VIII n. 30
P. 132 = F. I n. 6
P. 133 = F. V n. 2
P. 134 = F. V n. 1
P. 135 = F. IV n. 1
P. 136 = F. I n. 87
P. 137 = F. VIII n. 6
P. 138 = F. I n. 64
P. 139 Incompleto
P. 140 = F. VI n. 8
P. 141 Incompleto
P. 142 Incompleto
P. 143 = F. XI n. 11
P. 144 = F. I n. 37
P. 145 = F. XI n. 49
P. 146 = F. IV n. 7
P. 147 = F. I n. 178
P. 148 = F. IV n. 10
P. 149 = F. I n. 190
P. 150 = F. I n. 195
P. 151 = F. I n. 138 - F. I n. 206
P. 152 = F. I n. 207
P. 153 = F. I n. 30
P. 154 = F. I n. 50
P. 155 = F. XII n. 9 - F. VI n. 14
P. 156 = F. I n. 89
P. 157 = F. XI n. 42
P. 158 = F. I n. 218
P. 159 = F. I n. 222
P. 160 Solo *incipit*
P. 161 = F. I n. 158
P. 162 = F. I n. 160
P. 163 = F. I n. 162
P. 164 = F. I n. 62
P. 165 = F. I n. 136
P. 166 = F. II n. 5
P. 167 = F. I n. 153

P. 168 = F. I n. 144
P. 169 Cadenza del Concerto P. 444
P. 170 = F. I n. 129
P. 171 = F. I n. 45
P. 172 = F. I n. 171
P. 173 = F. I n. 149
P. 174 = F. I n. 225
P. 175 = F. XI n. 30
P. 176 = F. III n. 20
P. 177 = F. I n. 228
P. 178 = F. I n. 229
P. 179 = F. I n. 97
P. 180 = F. III n. 9
P. 181 = F. III n. 16
P. 182 = F. I n. 116
P. 183 = F. I n. 115
P. 184 = F. I n. 38
P. 185 = F. I n. 77
P. 186 = F. I n. 80
P. 187 = F. VII n. 10
P. 188 = F. IV n. 4
P. 189 = F. I n. 41
P. 190 = F. I n. 35
P. 191 = F. XI n. 16
P. 192 = F. I n. 124
P. 193 = F. I n. 120
P. 194 = F. I n. 132
P. 195 = F. I n. 133
P. 196 = F. I n. 134
P. 197 = F. XI n. 15
P. 198 = F. XII n. 7
P. 199 = F. I n. 8
P. 200 = F. I n. 18
P. 201 = F. I n. 19
P. 202 = F. I n. 83
P. 203 = F. VI n. 3
P. 204 = F. XII n. 29
P. 205 = F. VI n. 10
P. 206 = F. XII n. 27
P. 207 = F. XII n. 25
P. 208 = F. I n. 10
P. 209 = F. XII n. 15
P. 210 = F. XII n. 50
P. 211 = F. I n. 234
P. 212 = F. I n. 175
P. 213 = F. I n. 184

P. 214 = F. I n. 51
P. 215 = F. I n. 54
P. 216 = F. I n. 90
P. 217 = F. I n. 221
P. 218 Concerto di Veracini
P. 219 = F. I n. 223
P. 220 Solo *incipit*
P. 221 = F. I n. 224
P. 222 = F. I n. 139
P. 223 = F. I n. 155
P. 224 = F. I n. 159
P. 225 = F. I n. 123
P. 226 = F. XII n. 48
P. 227 = F. I n. 148
P. 228 = F. I n. 141
P. 229 = F. I n. 39
P. 230 = F. XI n. 22
P. 231 = F. XI n. 1
P. 232 = F. I n. 227
P. 233 = F. II n. 1
P. 234 = F. I n. 106
P. 235 = F. XI n. 4
P. 236 = F. I n. 5
P. 237 = F. I n. 104
P. 238 = F. IV n. 6
P. 239 = F. I n. 137
P. 240 = F. I n. 179
P. 241 = F. I n. 22
P. 242 = F. I n. 48
P. 243 = F. I n. 145
P. 244 = F. I n. 7
P. 245 = F. I n. 72
P. 246 = F. I n. 127
P. 247 = F. I n. 84
P. 248 = F. I n. 4
P. 249 = F. IV n. 9
P. 250 = F. IV n. 11
P. 251 = F. I n. 188
P. 252 = F. I n. 215
P. 253 = F. I n. 187
P. 254 = F. I n. 197
P. 255 = F. I n. 201
P. 256 = F. I n. 205
P. 257 = F. I n. 24
P. 258 = F. I n. 28
P. 259 = F. VII n. 1
P. 260 = F. I n. 56

P. 261 = F. XII n. 28 -
       F. VI n. 12
P. 262 = F. VI n. 1
P. 263 = F. I n. 212
P. 264 = F. VII n. 16
P. 265   Solo *incipit*
P. 266 = F. XII n. 38
P. 267 = F. XII n. 39
P. 268 = F. XII n. 40
P. 269 = F. I n. 142
P. 270 = F. I n. 154
P. 271 = F. I n. 167
P. 272 = F. I n. 119
P. 273 = F. XII n. 10
P. 274 = F. XII n. 41
P. 275 = F. I n. 161
P. 276 = F. I n. 151
P. 277 = F. I n. 143
P. 278 = F. I n. 34
P. 279 = F. XI n. 14
P. 280 = F. XI n. 19
P. 281 = F. I n. 100
P. 282 = F. VIII n. 5 -
       F. III n. 7
P. 283 = F. III n. 11
P. 284 = F. III n. 14
P. 285 = F. III n. 17
P. 286 = F. XII n. 32
P. 287 = F. II n. 3
P. 288 = F. II n. 2
P. 289 = F. II n. 4
P. 290 = F. I n. 20
P. 291 = F. XI n. 28
P. 292 = F. XI n. 2
P. 293 = F. I n. 113
P. 294 = F. XI n. 31
P. 295 = F. I n. 66
P. 296 = F. I n. 71
P. 297 = F. XII n. 31
P. 298 = F. VIII n. 15
P. 299 = F. VIII n. 19
P. 300 = F. VIII n. 25
P. 301 = F. XII n. 35
P. 302 = F. VII n. 9
P. 303   Incompleto
P. 304 = F. VIII n. 22
P. 305 = F. VIII n. 20
P. 306 = F. VII n. 2
P. 307 = F. VIII n. 32

P. 308 = F. IV n. 5
P. 309   Incompleto
P. 310 = F. I n. 11
P. 311 = F. XII n. 19
P. 312 = F. I n. 126
P. 313 = F. XI n. 34
P. 314 = F. I n. 128
P. 315 = F. I n. 130
P. 316 = F. I n. 21
P. 317 = F. I n. 88
P. 318 = F. VIII n. 8 -
       F. VII n. 12
P. 319 = F. XII n. 18
P. 320 = F. X n. 1
P. 321 = F. X n. 2
P. 322 = F. XII n. 21
P. 323 = F. XII n. 26
P. 324 = F. I n. 17
P. 325 = F. I n. 33
P. 326 = F. IV n. 8
P. 327 = F. I n. 180 -
       F. I n. 235
P. 328 = F. I n. 185
P. 329 = F. I n. 192
P. 330 = F. I n. 194
P. 331 = F. VII n. 14
P. 332 = F. I n. 199
P. 333 = F. I n. 202
P. 334 = F. VII n. 15
P. 335 = F. I n. 204
P. 336 = F. I n. 23
P. 337 = F. I n. 16
P. 338 = F. I n. 29
P. 339 = F. I n. 52
P. 340 = F. I n. 55
P. 341 = F. I n. 57
P. 342 = F. XII n. 5 -
       F. VI n. 13
P. 343 = F. I n. 211
P. 344 = F. I n. 86
P. 345 = F. I n. 214
P. 346 = F. I n. 219
P. 347   Solo *incipit*
P. 348   Solo *incipit*
P. 349 = F. I n. 95
P. 350 = F. I n. 163
P. 351 = F. I n. 165
P. 352 = F. I n. 147

P. 353 = F. I n. 170
P. 354 = F. I n. 152
P. 355 = P. 414
P. 356 = F. I n. 65
P. 357 = F. I n. 82
P. 358 = F. I n. 150
P. 359 = F. XII n. 33
P. 360 = F. XII n. 6
P. 361 = F. XI n. 21
P. 362 = F. XI n. 39
P. 363 = F. XI n. 12
P. 364 = F. I n. 230
P. 365 = F. I n. 99
P. 366 = F. I n. 98
P. 367 = F. I n. 59
P. 368 = F. I n. 60
P. 369 = F. III n. 15
P. 370 = F. I n. 118
P. 371 = F. XI n. 27
P. 372 = F. I n. 108
P. 373 = F. I n. 32
P. 374 = F. I n. 112
P. 375 = F. I n. 117
P. 376 = F. I n. 69
P. 377 = F. I n. 76
P. 378 = F. I n. 78
P. 379 = F. I n. 81
P. 380   Incompleto
P. 381 = F. VIII n. 11
P. 382 = F. VIII n. 24
P. 383 = F. XII n. 3
P. 384 = F. VIII n. 23
P. 385 = F. XII n. 12
P. 386 = F. VIII n. 36
P. 387 = F. VIII n. 35
P. 388 = F. IV n. 2
P. 389 = F. I n. 63
P. 390 = F. I n. 40
P. 391 = F. I n. 42
P. 392 = F. XI n. 17
P. 393 = F. I n. 125
P. 394 = F. XI n. 33
P. 395 = F. I n. 122
P. 396 = F. I n. 121
P. 397   Incompleto
P. 398 = F. XI n. 3
P. 399   Incompleto
P. 400 = F. XI n. 24

P. 401 = F. VIII n. 1
P. 402 = F. XII n. 4
P. 403 = F. XII n. 20
P. 404 = F. XII n. 8
P. 405 = F. I n. 1
P. 406 = F. XII n. 16
P. 407 = F. XI n. 6
P. 408 = F. I n. 36
P. 409 = F. I n. 15
P. 410 = F. XI n. 5
P. 411 = F. III n. 2
P. 412 = F. I n. 233
P. 413 = F. I n. 189
P. 414 = F. I n. 193
P. 415 = F. I n. 26
P. 416 = F. I n. 58
P. 417 = F. I n. 210
P. 418 = F. I n. 164
P. 419 = F. I n. 2
P. 420 = F. I n. 156
P. 421 = F. I n. 166
P. 422 = F. XI n. 20
P. 423 = F. I n. 101
P. 424 = F. III n. 5
P. 425 = F. I n. 102
P. 426 = F. I n. 105
P. 427 = F. XI n. 8
P. 428 = F. I n. 109
P. 429 = F. I n. 9
P. 430 = F. I n. 75
P. 431 = F. I n. 79
P. 432 = F. VIII n. 14
P. 433 = F. VIII n. 27
P. 434 = F. III n. 1
P. 435 = F. I n. 14
P. 436 = F. I n. 12
P. 437 = F. I n. 131
P. 438 = F. XI n. 9
P. 439 = F. I n. 92
P. 440 = F. IV n. 11
P. 441 = F. XVI n. 2
P. 442 = F. I n. 25
P. 443 = F. XI n. 35
P. 444 = F. XII n. 47
P. 445   Dubbio
P. 446   Dubbio
P. 447   Sonata di
       Sammartini

177

APPENDICE V
Tavola delle concordanze

APPENDICE V
Comparaison des textes

APPENDIX V
Table of comparison

ANHANG V
Ubersichtstabelle der verschiedenen Versionen

Oltre 100 Opere strumentali di Antonio Vivaldi esistono in due o più versioni. Sono state prese in esame le concordanze relative alle Opere antiche a stampa, nonché quelle relative ai manoscritti custoditi nelle Biblioteche elencate a pagina 12 (Tavola Abbreviazioni). Per ogni Opera strumentale è indicata la catalogazione Fanna e subito dopo il n. di opus o il titolo dell'Opera antica a stampa, oppure la provenienza e la segnatura del manoscritto, dai quali è stata ricavata l'edizione moderna Istituto Italiano Antonio Vivaldi - Ricordi. Successivamente è indicato il n. di opus (o il titolo) dell'Opera antica a stampa, oppure la provenienza e la segnatura del manoscritto, della stessa composizione con la differente versione.
Non esistono quasi mai due versioni in tutto identiche: esse differiscono in misura maggiore o minore per segni di dinamica, o per legature, tagli, varianti, ecc.
Dalla Tavola delle concordanze sono escluse le Opere a stampa e i manoscritti dei secoli XIX e XX, nonché le Opere strumentali di dubbia attribuzione, quelle incomplete, le Opere attualmente inaccessibili e quelle di cui si conoscono solamente gli *incipit*.

Plus de 100 oeuvres instrumentales d'Antonio Vivaldi existent en deux ou plusieurs versions. On a examiné les éditions anciennes ainsi que les manuscrits conservés dans les Bibliothèques citées à la page 12 (Table des abréviations).
Pour chaque oeuvre instrumentale on a indiqué le numéro du catalogue Fanna immédiatement suivi du numéro de l'Opus ou du titre de l'édition ancienne, ou bien de la provenance et de la cote du manuscrit d'où est tirée l'édition moderne de l'Institut Italien Antonio Vivaldi-Ricordi.
Ensuite est indiqué le numéro d'opus (ou le titre) de l'édition ancienne, ou bien la provenance et la cote du manuscrit de la même oeuvre avec la version différente.
Il n'existe presque jamais deux versions tout à fait identiques: les différences, plus ou moins importantes, portent sur des indications dynamiques, des liaisons, des coupures, des variantes, etc.
De ce tableau de comparaison sont exclus les éditions et les manuscrits des XIXe et XXe siècles, ainsi que les oeuvres instrumentales d'attribution douteuse, celles qui sont incomplètes, les oeuvres actuellement inaccessibles et celles dont on ne connaît que les incipit.

There are two or more versions of more than 100 instrumental works by Antonio Vivaldi. We have examined the early printed editions and manuscripts found in the libraries indicated in the preceding page 12 (see abbreviations). For each instrumental work we have indicated the serial number of the Fanna catalogue and immediately after the opus number or title of the early printed edition, alternatively provenance and callnumber of the manuscript on which the present modern Edition has been based. Secondly, we have listed the opus number (or title) of the early printed edition or provenance and callnumber of the manuscript containing a different version of the same work.
There are rarely two versions exactly identical: they differ, in smaller or greater measure, in details of dynamics, slurs, cuts, alterations etc.
From the above table we have excluded printed editions and manuscripts of the 19th. and 20th. centuries, works of uncertain attribution, unfinished works, other works which are at present inaccessible, or of which only the *Incipit* are known.

Über 100 Instrumentalwerke Antonio Vivaldis existieren in zwei oder mehr Versionen. Man hat nun sowohl die alten gedruckten Ausgaben und die auf Seite 12 verzeichneten Manuskripte in den verschiedenen Bibliotheken untersucht und verglichen (siehe Tabelle der Abkürzungen). Bei jedem Instrumentalwerk ist die Katalogisierung Fanna angegeben sowie gleich danach die Opuszahl bzw. der Titel der alten gedruckten Ausgabe, oder die Herkunft und Signatur des Manuskriptes, worauf die moderne Ausgabe des Istituto Italiano Antonio Vivaldi-Ricordi basiert ist. Danach folgt die Opuszahl (oder der Titel) der alten gedruckten Ausgabe, oder die Herkunft und Signatur des Manuskriptes der zweiten oder verschiedenen Versionen.
Fast nie existieren zwei völlig identische Versionen: sie weichen mehr oder weniger in der Dynamik, in der Legatur, in den Takten, Varianten etc. voneinander ab. Von dieser Übersichtstabelle sind die gedruckten Werke und Handschriften des 19. und 20. Jahrhunderts ausgenommen, sowie die Werke zweifelhafter Urheberschaft, die unvollständigen Werke sowie jene, die gegenwärtig unzugänglich sind und die Werke von denen lediglich die Incipit bekannt sind.

F. I n. 1	*T.F.*	31, cc 91r - 102r		*T.G.*	34, cc 103r - 110v	*Ms.*
F. I n. 2	*T.G.*	34, cc 141r - 150v		D.	2389/O/78	*Ms.*
F. I n. 5	*T.G.*	35, cc 255r - 260v		*T.F.*	30, cc 50r - 54v	*Ms.*
F. I n. 7	*T.F.*	31, cc 172r - 179v		P.	Blancheton, Rés. F. 446, p. 75 - 78	*Ms.*
F. I n. 10	*T.G.*	34, cc 79r - 87v		G.	M. 4. 28. 34.	*Ms.*

F. I n. 13	*T.G.* 34, cc 43r - 63v	*D.* 2389/O/59 *Ms.*	

A Dresda, ridotto da 2 a 1 Coro.
« VI Concerti a Cinque... », libro II, n. 3
Ed. Witvogel, Amsterdam
Nell'edizione Witvogel, ridotto da 2 a 1 Coro.

F. I n. 16   *T.G.*   30, cc 2r - 11r   Op. VIII n. 8   *Ed. Le Cene, Amsterdam*
« Select Harmony... » n. 2   *Ed. Walsh and Hare, London*

F. I n. 20   *T.F.*   30, cc 12r - 23r   *S.*   Mus. 5573   *Ms.*
N.   M.S. 11155 - 11160   *Ms.*
A Napoli, la parte del violino principale è incompleta.

F. I n. 22   Op. VIII n. 1   *P.*   D. 8077   *Ms.*

F. I n. 23   Op. VIII n. 2   *G.*   SS. A. 2. 10 (H. 7.)   *Ms.*

F. I n. 26   Op. VIII n. 5   *D.*   2389/O/62   *Ms.*
A Dresda, strumenti dell'orchestra in più.

F. I n. 28   Op. VIII n. 7   « Select Harmony... » n.1   *Ed. Walsh and Hare, London*

F. I n. 29   Op. VIII n. 10   *T.G.*   29, cc 245r - 253r   *Ms.*
D.   2389/O/63   *Ms.*

F. I n. 30   Op. VIII n. 11   *T.G.*   30, cc 184r - 206r   *Ms.*
S.   Mus. 5568   *Ms.*

F. I n. 34   *T.G.*   28, cc 45r - 54v   *D.*   2389/O/119   *Ms.*

F. I n. 39   *T.G.*   28, cc 96r - 103v   *D.*   2389/O/112   *Ms.*

F. I n. 43   *T.G.*   30, cc 269r - 278r   *D.*   2389/O/98 (Partitura)   *Ms.*
D.   2389/O/98 (Parti)*   *Ms.*

F. I n. 44   *T.G.*   28, cc 246r - 256v   *D.*   2389/O/49   *Ms.*
A Dresda, strumenti dell'orchestra in più.

F. I n. 45   *T.G.*   30, cc 12r - 21v   *D.*   2389/O/106   *Ms.*

F. I n. 47   Op. IX n. 1   *T.G.*   29, cc 90r - 97v   *Ms.*
Il 3° Tempo è differente.
« Select Harmony... » n. 3   *Ed. Walsh and Hare, London*

F. I n. 48   Op. IX n. 4   *T.F.*   30, cc 214r - 224v   *Ms.*
Il 3° Tempo è differente.

F. I n. 50   Op. IX n. 12   *T.F.*   29, cc 194r - 203r   *Ms.*

F. I n. 51   Op. IX n. 2   « Select Harmony... » n. 4   *Ed. Walsh and Hare, London*
D.   2389/O/50   *Ms.*

F. I n. 52   Op. IX n. 3   Op. XI n. 6   *Ed. Le Cene, Amsterdam*
Nell'Op. XI n. 6 la parte del solista è suonata dall'oboe.

F. I n. 53   Op. IX n. 5   *D.*   2389/O/114   *Ms.*

F. I n. 54   Op. IX n. 6   *N.*   M.S. 11144 - 11149   *Ms.*

F. I n. 58	Op. IX n. 11		D. 2389/O/102 *Ms.*	

Il 2° Tempo è differente.

F. I n. 61	*T.G.*	35, cc 286r - 296v	P. D. 10778 *Ms.*	
F. I n. 62	*T.G.*	34, cc 22r - 41v	D. 2389/O/67 (Partitura) *Ms.*	
			D. 2389/O/67 (Parti) *Ms.*	
F. I n. 65	*T.F.*	31, cc 39r - 51v	D. 2389/O/113 *Ms.*	
F. I n. 67	*T.F.*	31, cc 14r - 25v	D. 2389/O/83 (Partitura) *Ms.*	
			D. 2389/O/83 (Parti) *Ms.*	
F. I n. 82	*T.G.*	30, cc 100r - 106v	D. 2389/O/115 *Ms.*	
F. I n. 86	*T.G.*	30, cc 147r - 157r	Op. XII n. 5 *Ed. Le Cene, Amsterdam*	
			D. 2389/O/64 *Ms.*	
F. I n. 89	*T.G.*	30, cc 158r - 167v	Op. XI n. 1 *Ed. Le Cene, Amsterdam*	
			D. 2389/O/80 *Ms.*	
F. I n. 90	*T.G.*	30, cc 286r - 295v	Op. XI n. 3 *Ed. Le Cene, Amsterdam*	
F. I n. 91	*T.G.*	30, cc 264r - 272v	D. 2389/O/70 (Partitura) *Ms.*	
			D. 2389/O/70a (Parti) *Ms.*	

In questo manoscritto vi è un « Adagio » in più.

F. I n. 95	*T.G.*	30, cc 172r - 182v	D. 2389/O/55 (Parti) *Ms.*	
F. I n. 118	*T.F.*	30, cc 2r - 11v	*T.G.* 29, cc 1r - 11r *Ms.*	
F. I n. 119	*T.G.*	29, cc 63r - 72v	D. 2389/O/81 *Ms.*	
F. I n. 123	*T.G.*	29, cc 144r - 153r	D. 2389/O/65 *Ms.*	
F. I n. 129	*T.G.*	29, cc 182r - 189v	D. 2389/O/104 *Ms.*	
F. I n. 136	*T.G.*	29, cc 233r - 244r	D. 2389/O/74 *Ms.*	

A Dresda il Concerto è intitolato « Per la S. Lingua di
S. Antonio », il 2° Tempo è differente e vi sono strumenti dell'orchestra in più. Il ms. di Dresda è quasi
illeggibile.

F. I n. 138	*T.G.*	29, cc 167r - 181r	S. Mus. 5565 *Ms.*	

A Schwerin col titolo « Concerto Grosso Mogul ».

F. I n. 142	D.	2389/O/53 (Partitura)	D. 2389/O/53 (Parti) *Ms.*	
F. I n. 148	D.	2389/O/108	« VI Concerti a Cinque... », libro I, n. 4	
			Ed Witvogel, Amsterdam	
F. I n. 149	D.	2389/O/123 (Partitura)	D. 2389/O/123 (Parti) *Ms.*	
F. I n. 158	D.	2389/O/57 (Partitura)	D. 2389/O/57 (Parti) *Ms.*	

Il 2° Tempo e differente.

F. I n. 159	D.	2389/O/54 (Partitura)	D. 2389/O/54 (Parti) *Ms.*	

Nelle parti, vi sono strumenti dell'orchestra in più.

F. I n. 160	D.	2389/O/58 (Partitura)	D. 2389/O/58 (Parti) *Ms.*	
F. I n. 162	D.	2389/O/61 (Partitura)	D. 2389/O/61 (Parti) *Ms.*	

Il 3° Tempo è differente. Nelle parti, vi sono strumenti
dell'orchestra in più.

F. I n. 165	*D.* 2389/O/86 (Partitura)	*D.* 2389/O/86 (Parti) *Ms.* Nelle parti, vi sono strumenti dell'orchestra in più.
F. I n. 166	*D.* 2389/O/101 (Parti)	*D.* 2389/O/101 (Partitura)* *Ms.*
F. I n. 167	*D.* 2389/O/79	*W.O.* E.M. 149 n. 4 *Ms.* A Vienna, il Concerto è attribuito a Chelleri e vi sono strumenti dell'orchestra in più.
F. I n. 169	*D.* 2389/O/66 (Partitura)	*D.* 2389/O/66 (Parti) *Ms.* *P.* M.S. 8659 *Ms.* « VI Concerti a Cinque... », libro I, n. 1 *Ed Witvogel, Amsterdam*
F. I n. 175	Op. III n. 5 *Ed. Roger e Le Cene, Amsterdam*	*W.O.* E.M. 149 n. 1 *Ms.* A Vienna vi è una parte di violone in più. *W.* ML 96. V 48 *Ms.* A Washington un tono più basso. *B.S.* 22396/15 *Ms.* Riduzione per clavicembalo un tono più basso.
F. I n. 176	Op. III n. 6 *Ed. Roger e Le Cene, Amsterdam*	Op. III n. 8 *Ed. Walsh and Hare, London*
F. I n. 177	Op. III n. 8 *Ed. Roger e Le Cene, Amsterdam*	Op. III n. 6 *Ed. Walsh and Hare, London*
F. I n. 178	Op. III n. 9 *Ed. Roger e Le Cene, Amsterdam*	Op. III n. 7 *Ed. Walsh and Hare, London* *S.* Mus. 5563 *Ms.*
F. I n. 183	Op. IV n. 4 *Ed. E. Roger, Amsterdam*	Op. IV n. 3 *Ed Walsh, London*
F. I n. 184	Op. IV n. 5 *Ed. E. Roger, Amsterdam*	« Two Celebrated Concertos... » n. 2 *Ed. Walsh and Hare, London*
F. I n. 185	Op. IV n. 6 *Ed. E. Roger, Amsterdam*	*Z.* AMG XIII 1071 a - c *Ms.* A Zurigo manca la parte della viola.
F. I n. 188	Op. IV n. 9 *Ed. E. Roger, Amsterdam*	Op. IV n. 4 *Ed. Walsh, London*
F. I n. 189	Op. IV n. 10 *Ed. E. Roger, Amsterdam*	*D.* 2389/O/118 *Ms.*
F. I n. 190	Op. IV n.11 *Ed. E. Roger, Amsterdam*	Op. IV n. 5 *Ed. Walsh, London* *N.* M.S. 11150 - 11154 *Ms.*
F. I n. 191	Op. IV n. 12 *Ed. E. Roger, Amsterdam*	*D.* 2389/O/92 *Ms.*
F. I n. 192	Op. VI n. 1	« Select Harmony... » n. 9 *Ed. Walsh and Hare, London*
F. I n. 193	Op. VI n. 2	« Select Harmony... » n. 5 *Ed. Walsh and Hare, London* *D.* 2389/O/111 *Ms.* *W.S.* 777 *Ms.*
F. I n. 197	Op. VI n. 6	*D.* 2389/O/68 *Ms.*

F. I n. 199	Op. VII, Libro I, n. 3	« Select Harmony »... » n. 6 *Ed. Walsh and Hare, London*
F. I n. 203	Op. VII, Libro II, n. 2	« Select Harmony... » n. 10 *Ed. Walsh and Hare, London* *D.* 2389/O/56a* *Ms.*
F. I n. 205	Op. VII, Libro II, n. 4	« Select Harmony... » n. 8 *Ed. Walsh and Hare, London* *D.* 2389/O/96 *Ms.* A Dresda col titolo « Il Rittiro » *W.O.* E.M. 148 f. *Ms.* A Vienna col titolo « Il Rittiro ».
F. I n. 206	Op. VII, Libro II, n. 5	« Select Harmony... » n. 11 *Ed. Walsh and Hare, London* *S.* Mus. 5565 *Ms.* A Schwerin col titolo « Concerto Grosso Mogul »; il 2° Tempo è differente.
F. I n. 207	Op. VII, Libro II, n. 6	« Select Harmony... » n. 12 *Ed. Walsh and Hare, London* *S.* Mus. 5572 *Ms.*
F. I n. 210	Op. XI n. 5	*D.* 2389/O/122 *Ms.*
F. I n. 216	« Concerts à 5... » n. 1	*W.O.* E.M. 148 d. *Ms.*
F. I n. 217	« VI Concerts à 5... » n. 6	*D.* 2389/O/117 *Ms.* Il manoscritto di Dresda è quasi illeggibile.
F. I n. 219	« Concerti a Cinque... » n. 8	« L'Elite des Concerto... » *Ed. Boivin et Le Clerc, Paris* Il 2° Tempo è differente. *S.* Mus. 5564 *Ms.*
F. I n. 220	« Concerti a Cinque... » n. 12	*W.O.* E.M. 148 e. *Ms.* *Z.* AMG XIII 1072 a - e *Ms.*
F. I n. 221	« VI Concerti à 5... » n. 6	« Select Harmony... » n. 7 *Ed. Walsh and Hare, London*
F. I n. 223	« Two Celebrated Concertos... » n. 1	*U.* Instr. mus. i hs. 63 : 17. *Ms.* Il 2° Tempo è differente. A Uppsala vi sono strumenti dell'orchestra in più.
F. I n. 235	*B.D.* Th. 232	*U.* Instr. mus. i hs. 61 : 7. *Ms.*
F. III n. 4	*T.F.* 29, cc 69r - 76v	*D.* 2389/O/110 *Ms.* *W.S.* 768 *Ms.*
F. IV n. 2	*T.G.* 28, cc 171r - 179v	*W.S.* 773 *Ms.*

F. IV n. 8	Op. III n. 2 *Ed. Roger e Le Cene, Amsterdam*		D. 2389/O/71* *Ms.*	

F. IV n. 9   Op. III n. 7
         Ed. Roger e Le Cene, Amsterdam

     Op. III n. 9   *Ed. Walsh and Hare, London*
     N.   M.S. 11175 - 11180   *Ms.*
     A Napoli vi sono strumenti dell'orchestra in meno.
     D.   2389/O/100*   *Ms.*

F. IV n. 10   Op. III n. 10
         Ed. Roger e Le Cene, Amsterdam

     B.S.   22395/10   *Ms.*

F. VI n. 1   T.G.   31, cc 347 r - 352v
     Op. X n. 5   *Ed. Le Cene, Amsterdam*

F. VI n. 8   T.G.   31, cc 396r - 403v
     B.S.   22395/5   *Ms.*

F. VI n. 10   T.G.   31, cc 260r - 265v
     S.   Mus. 5575   *Ms.*

F. VII n. 1   T.F.   32, cc 41r - 49r
     Op. VIII n. 9   *Ed. Le Cene, Amsterdam*

F. XI n. 1   T.G.   30, cc 88r - 91r
     P.   Ac. e. ^{4}346 (A - D) n. 12 *Ms.*

F. XI n. 12   T.G.   30, cc 35r - 40r
     P.   Ac. e. ^{4}346 (A - D) n. 9   *Ms.*

F. XI n. 14   T.G.   30, cc 63r - 66v
     P.   Ac. e. ^{4}346 (A - D) n. 4   *Ms.*

F. XI n. 19   T.G.   30, cc 108r - 111v
     P.   Ac. e. ^{4}346 (A - D) n. 8   *Ms.*

F. XI n. 20   T.G.   30, cc 112r - 117v
     P.   Ac. e. ^{4}346 (A - D) n. 3   *Ms.*

F. XI n. 21   T.G.   30, cc 248r - 254r
     P.   Ac. e. ^{4}346 (A - D) n. 1   *Ms.*

F. XI n. 22   T.G.   30, cc 92r - 99v
     P.   Ac. e. ^{4}346 (A - D) n. 7   *Ms.*

F. XI n. 29   T.F.   30, cc 101r - 113v
     D.   2389/N/1 (1)   *Ms.*
     A Dresda vi sono strumenti dell'orchestra in più.

F. XI n. 30   T.F.   30, cc 118r - 124v
     P.   Ac. e. ^{4}346 (A - D) n. 10   *Ms.*

F. XI n. 36   T.G.   29, cc 154r - 158v
     P.   Ac. e. ^{4}346 (A - D) n. 11   *Ms.*

F. XI n. 39   T.G.   29, cc 279r - 282v
     P.   Ac. e. ^{4}346 (A - D) n. 6   *Ms.*

F. XI n. 41   D.   2389/N/2 (3)
     D.   2389/N/2 (3)   *Ms.*
     A Dresda in 2 esemplari col titolo « Sinfonia ».
     S.   Mus. 5571   *Ms.*
     A Schwerin col titolo « Concerto a 4 ».
     N.   M.S. 11161 - 11167   *Ms.*
     A Napoli col titolo « Concerto ».

F. XII n. 6   T.G.   31, cc 314r - 322v
     D.   2389/Q/9   *Ms.*

F. XII n. 10   T.G.   31, cc 104r - 132r
     D.   2389/O/93 (Partitura)   *Ms.*
     D.   2389/O/93 (Parti)   *Ms.*

F. XII n. 33   T.F.   32, cc 67r - 86r
     D.   2389/O/125   *Ms.*

F. XII n. 39   D.   2389/O/47 (Partitura)
     D.   2389/O/47 (Parti)   *Ms.*
     Il 2° Tempo è differente.

F. XII n. 40	*D.* 2389/O/48 (Partitura)	*D.* 2389/O/48 (Parti) *Ms.*
		D. 2389/O/48a (Parti) *Ms.*

In questo manoscritto vi sono strumenti dell'orchestra in più.

F. XII n. 47	*D.* 2389/O/94	*AM.* 973 D. 27 *Ms.*

Il 2° Tempo è differente.

F. XIII n. 29 a 40	Op. II n. 1 a 12	*G.* SS. B. 2. 8. (B. 1. 22.) *Ms.*
F. XIII n. 32	Op. II n. 4	*U.* Instr. mus. i hs. 6 - 7. *Ms.*
F. XIV n. 1	Op. XIV (?) n. 1	*N.* M.S. 11188 - 11190 (a) *Ms.*
		P. Vm.^{7} 6310 (n. 1) *Ms.*
F. XIV n. 2	Op. XIV (?) n. 2	*P.* Vm.^{7} 6310 (n. 2) *Ms.*
F. XIV n. 3	Op. XIV (?) n. 3	*P.* Vm.^{7} 6310 (n. 3) *Ms.*
F. XIV n. 4	Op. XIV (?) n. 4	*P.* Vm.^{7} 6310 (n. 4) *Ms.*
F. XIV n. 5	Op. XIV (?) n. 5	*P.* Vm.^{7} 6310 (n. 5) *Ms.*
F. XIV n. 6	Op. XIV (?) n. 6	*P.* Vm.^{7} 6310 (n. 6) *Ms.*
		W.S. 782 *Ms.*

* Non è stato possibile verificare la concordanza: il manoscritto, nel periodo della preparazione del Catalogo, era in restauro. E' possibile che, anche dopo il restauro, esso risulti illeggibile avendo subito gravi danni durante la guerra 1939-1945.

* *Il n'a pas été possible de vérifier la concordance: pendant la période de la préparation du Catalogue, le manuscrit était en restauration. Il est possible qu'il soit illisible, même après la restauration, puisqu'il a subi de graves dégâts pendant la guerre de 1939-1945.*

* It has not been possible to verify the concordance: the manuscript was in restoration during the period of the preparation of the Catalogue. It is possible that, even after restoration, it might turn out to be illeggible as it has suffered serious damage during the 1939-1945 war.

* *Es ist nicht möglich gewesen die Übereinstimmung nachzuweisen: während der Zeit der Vorbereitung des Katalogs war das Manuskript in Restaurierung. Es ist möglich, dass es sich auch nach der Restaurierung als unleserlich ergibt, weil es während des Krieges 1939-1945 schwer beschädigt wurde.*

NOTA IMPORTANTE — NOTE IMPORTANTE — IMPORTANT NOTE — WICHTIGE ANMERKUNG

Mentre il presente catalogo era già pronto per la stampa, ho appreso la notizia del ritrovamento di numerosi manoscritti di opere strumentali di Antonio Vivaldi da parte del musicologo Peter Ryom di Copenhagen.

Grazie alla sua cortesia posso qui elencare le composizioni: di fianco alla segnatura di quelle che già esistono in altre biblioteche è indicata solamente la mia catalogazione, mediante la quale si potranno facilmente individuare nel presente catalogo il titolo e gli *incipit* delle composizioni stesse.

Quanto alle opere strumentali sino ad oggi sconosciute, vengono indicati, oltre alla segnatura, al titolo e alla mia catalogazione, gli *incipit* di ogni tempo.

Si tratta in totale di 14 nuove opere strumentali e di 18 opere già conosciute.

A. F.

Alors que ce catalogue était déjà préparé pour l'impression, j'ai appris la découverte de nombreux manuscrits d'oeuvres instrumentales d'Antonio Vivaldi faite par le musicologue Peter Ryom de Copenhague.

Grâce à son amabilité je peux donner ci-dessous la liste des compositions retrouvées: auprès de la cote de celles qui existent déjà dans d'autres bibliothèques, est indiqué seulement l'ordre de mon catalogue, par lequel on pourra facilement retrouver, dans le présent ouvrage, le titre et les incipit des compositions mêmes.

Quant aux oeuvres instrumentales inconnues jusqu'à présent, on a indiqué, outre la cote, le titre et l'ordre de mon catalogue, les incipit de chaque mouvement.

Il s'agit au total de 14 nouvelles oeuvres instrumentales et de 18 oeuvres déjà connues.

A. F.

While this catalogue was already prepared for print, I learned that numerous manuscripts of Antonio Vivaldi's instrumental works were found by the musicologist Peter Ryom of Copenhagen.

Thanks to his kindness I herewith give the list of the above compositions: beside the callnumber of those already existing in other libraries, I have indicated only the number of my catalogue, through which one will easily be able to identify the title and the *Incipit* of the compositions themselves in this catalogue.

For the works unknown until now, I have indicated the callnumber, the title, the number of my catalogue and the *Incipit* of each movement.

Therefore the total number of works in question is: 14 new instrumental works and 18 already known ones.

A. F.

Während dieser Katalog schon zum Druck bereit war, habe ich die Nachricht bekommen, dass mehrere Manuskripte der Instrumentalwerke von Antonio Vivaldi von dem Musikwissenschaftler Peter Ryom von Kopenhagen entdeckt worden sind.

Dank seiner Hilfsbereitschaft kann ich diese Werke hier angeben: neben der Signatur von denen, die schon in anderen Bibliotheken existieren, wird nur meine Katalogisierung angegeben, durch welche man leicht den Titel und die Incipit der Werke selbst in diesem Katalog finden kann.

Was die bis heute unbekannten Instrumentalwerke betrifft, werden, neben der Signatur, dem Titel und meiner Katalogisierung, die Incipit jedes Satzes angegeben.

Es handelt sich im ganzen um 14 neue Instrumental- und 18 schon bekannte Werke.

A. F.

NORGE   *TRONDHEIM* - Det kongelige norske Videnskabers Selskab, Biblioteket

?	F. XI n. 41 (per tre violini e basso continuo)
fMSM 52	F. I n. 175
fMSM 53	F. I n. 207

POLSKA   *GDAŃSKA* - Biblioteka Gdańska, Polskiej Akademii Nauk

Ms 4143	F. I n. 180

SVERIGE   *STOCKHOLM* - Musikaliska Akademiens Bibliotek

VO-R	F. I n. 176
VO-R	F. I n. 175
FbO-R	F. VI n. 8

FbO-R

Concerto in re maggiore
per flauto, 2 violini
e basso continuo
F. XII n. 51

FbO-R

Concerto in re maggiore
per flauto, archi e cembalo
F. VI n. 17

Cl-R

Sonata in mi minore
per flauto e
basso continuo
F. XV n. 6

Cl-R
Sonata in re minore
per violino e
basso continuo
F. XIII n. 50

SKARA - Stifts- och Landsbiblioteket
231,5
Concerto in re maggiore
per violino, archi
e cembalo
F. I n. 237

231,6   F. I n. 198

LUND - Universitetsbiblioteket
1) *Samling Kraus (collezione Kraus)*
56
Sonata in sol maggiore
per 2 flauti e
basso continuo
F. XV n. 7

2) *Samling Engelhart (collezione Engelhart)*

133

Concerto in la minore
per oboe, archi e cembalo
F. VII n. 19

190   F. I n. 220

238

Concerto in do maggiore
per oboe, archi e cembalo
F. VII n. 20

284

Concerto in mi minore
per violino, archi
e cembalo
F. I n. 238

370

Concerto in do minore
per violino, oboe, archi
e cembalo
F. XII n. 53

393   F. I n. 205

412   F. I n. 221

426   F. I n. 182

461   F. I n. 173

514   F. XI n. 52

3) *Wensters donation (donazione Wensters)*
Lit. E, n. 22
Sonata in sol minore
per 2 violini e
basso continuo
F. XIII n. 51

Lit. L, n. 14   F. I n. 23

INDICE

Tip. - Lit. "LA MUSICA MODERNA,, S.p.A. - 1968

Stampato in Italia - Printed in Italy - Imprimé en Italie